초등 수학 전문가가 만든 연산 교재

원리셈

4

1학년

• □ 구하기 •

1주차	덧셈과 뺄셈의 관계	9
2주차	도전! 계산왕	25
3주차	몇+□	37
4주차	몇-□	53
5주차	□-몇	69
6주차	도전! 계산왕	85

지은이의 말

수학은 원리로부터

수학은 구체물의 관계를 숫자와 기호의 약속으로 나타내는 추상적인 학문입니다. 이 점이 아이들이 수학을 어려워하는 가장 큰 이유입니다. 이러한 수학은 제대로 된 이해를 동반할 때 비로소 힘을 발휘할 수 있습니다. 수학은 어느 단계에서나 원리가 가장 중요합니다.

수학 교육의 변화

답을 내는 방법만 알아도 되는 수학 교육의 시대는 지나고 있습니다. 연산도 한 가지 방법만 반복 연습하기 보다 다양한 풀이 방법이 중요합니다. 교과서는 왜 그렇게 해야 하는지 가르쳐 주고 다양한 방법을 생각하도록 하지만, 학생들은 단순하게 반복되는 연습에 원리는 잊어버리고 기계적으로 답을 내다보니 응용된 내용의 이해가 부족합니다.

연산 학습은 꾸준히

유초등 학습 단계에 따라 4권~6권의 구성으로 매일 10분씩 꾸준히 공부할 수 있습니다. 원리와 다양한 방법의 학습은 그림과 함께 재미있게, 연습은 다양하게 진행하되 마무리는 집중하여 진행하도록 했습니다. 부담 없는 하루 학습량으로 꾸준히 공부하다 보면 어느새 연산 실력이 부쩍 늘어난 것을 알 수 있습니다.

개정판 원리셈은

동영상 강의 확대/초등 고학년 원리 학습 과정 강화 등으로 교과 과정을 완벽하게 대비할 수 있도록 원리와 개념, 계산 방법을 학습합니다. 단계별 원리 학습은 물론이고 연습도 강화했습니다.

학부모님들의 연산 학습에 대한 고민이 원리셈으로 해결되었으면 하는 바람입니다.

지은이 천종현

원리셈의 특징

☑ **원리셈의 학습 구성**

한 권의 책은 매일 10분 / 매주 5일 / 6주 학습

☑ **원리셈의 시나브로 강해지는 학습 알고리즘**

초등 원리셈은

시작은 원리의 이해로부터, 마무리는 충분한 연습과 성취도 확인까지

☑ **체계적인 학습 구성**

쉽게 이해하고 스스로 공부!
실수가 많은 부분은 별도로 확인하고 연습!
주제에 따라 실전을 위한 확장적 사고가 필요한 내용까지!
원리로 시작되는 단계별 학습으로 곱셈구구마저 저절로 외워진다고 느끼도록!

원리셈 전체 단계

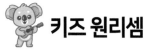 키즈 원리셈

5·6세	
1권	5까지의 수
2권	10까지의 수
3권	10까지의 수 세어 쓰기
4권	모아 세기
5권	빼어 세기
6권	크기 비교와 여러 가지 세기

6·7세	
1권	10까지의 더하기 빼기 1
2권	10까지의 더하기 빼기 2
3권	10까지의 더하기 빼기 3
4권	20까지의 더하기 빼기 1
5권	20까지의 더하기 빼기 2
6권	20까지의 더하기 빼기 3

7·8세	
1권	7까지의 모으기와 가르기
2권	9까지의 모으기와 가르기
3권	덧셈과 뺄셈
4권	10 가르기와 모으기
5권	10 만들어 더하기
6권	10 만들어 빼기

초등 원리셈

1학년	
1권	받아올림/ 내림 없는 두 자리 수 덧셈, 뺄셈
2권	덧셈구구
3권	뺄셈구구
4권	□ 구하기
5권	세 수의 덧셈과 뺄셈
6권	(두 자리 수)±(한 자리 수)

2학년	
1권	두 자리 수 덧셈
2권	두 자리 수 뺄셈
3권	세 수의 덧셈과 뺄셈
4권	곱셈
5권	곱셈구구
6권	나눗셈

3학년	
1권	세 자리 수의 덧셈과 뺄셈
2권	(두/세 자리 수)×(한 자리 수)
3권	(두/세 자리 수)×(두 자리 수)
4권	(두/세 자리 수)÷(한 자리 수)
5권	곱셈과 나눗셈의 관계
6권	분수

4학년	
1권	큰 수의 곱셈
2권	큰 수의 나눗셈
3권	분모가 같은 분수의 덧셈과 뺄셈
4권	소수의 덧셈과 뺄셈

5학년	
1권	혼합 계산
2권	약수와 배수
3권	분모가 다른 분수의 덧셈과 뺄셈
4권	분수와 소수의 곱셈

6학년	
1권	분수의 나눗셈
2권	소수의 나눗셈
3권	비와 비율
4권	비례식과 비례배분

초등 원리셈의 단계별 학습 목표

원리와 연습을 모두 잡는 원리셈!!

학년별 학습 목표와 다른 책에서는 만나기 힘든 특별한 내용을 확인해 보세요.

◉ 1학년 원리셈

모든 연산 과정 중 실수가 가장 많은 덧셈, 뺄셈의 집중 연습

여러 가지 계산 방법 알기

덧셈, 뺄셈의 관계를 이용한 '□ 구하기'의 이해

◉ 2학년 원리셈

두 자리 덧셈, 뺄셈의 여러 가지 계산 방법의 숙지와 이해

곱셈 개념을 폭넓게 이해하고, 곱셈구구를 힘들지 않게 외울 수 있는 구성

나눗셈은 3학년 교과의 내용이지만 곱셈구구를 외우는 것을 도우면서 곱셈구구의 범위에서 개념 위주 학습

◉ 3학년 원리셈

기본 연산은 정확한 이해와 충분한 연습

곱셈, 나눗셈의 관계를 이용한 '□ 구하기'의 이해

분수는 학생들이 어려워 하는 부분을 중점적으로 이해하고, 연습하도록 구성

◉ 4학년 원리셈

작은 수의 곱셈, 나눗셈 방법을 확장하여 이해하는 큰 수의 곱셈, 나눗셈

교과서에는 나오지 않는 실전적 연산을 포함

많이 틀리는 내용은 별도 집중학습

◉ 5학년 원리셈

연산은 개념과 유형에 따라 단계적으로 학습 후 충분한 연습

약수와 배수는 기본기를 단단하게 할 수 있는 체계적인 구성

◉ 6학년 원리셈

분수와 소수의 나눗셈은 원리를 단순화하여 이해

비의 개념을 확장하여 문장제 문제 등에서 만나는 비례 관계의 이해와 적용

비와 비례식은 중등 수학을 대비하는 의미도 포함. 강추 교재!!

1학년 구성과 특징

1권은 받아올림, 받아내림 없는 두 자리 덧셈, 뺄셈을 공부하고, 2권~5권은 한 자리 덧셈, 뺄셈의 체계적 연습으로 세 수의 덧셈, 뺄셈과 □ 구하기를 포함합니다. 6권에서 두 자리와 한 자리의 덧셈, 뺄셈으로 확장하여 공부합니다.

원리

수 모형, 동전 등을 이용하여 원리를 직관적으로 이해하고 쉽게 공부할 수 있도록 하였습니다.

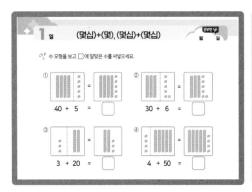
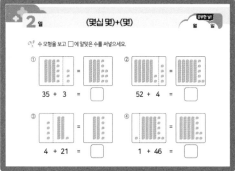

다양한 계산 방법

다양한 계산 방법을 공부함으로써 수를 다루는 감각을 키우고, 상황에 따라 더 정확하고 빠른 계산을 할 수 있도록 하였습니다.

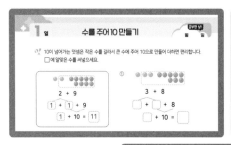

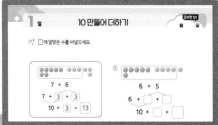

연습

기본 연습 문제를 중심으로 여러 형태의 문제로 지루하지 않게 반복하여 연습할 수 있도록 구성하였습니다.

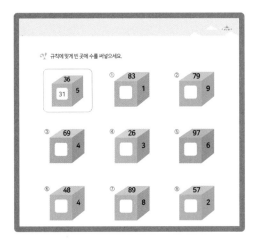

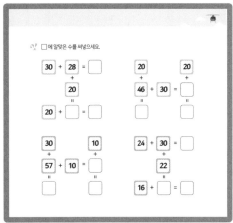

도전! 계산왕

주제가 구분되는 두 개의 단원은 정확성과 빠른 계산을 위한 집중 연습으로 주제를 마무리 합니다.

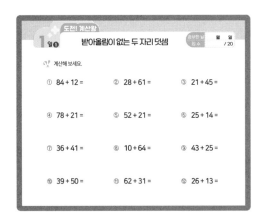

성취도 평가

개념의 이해와 연산의 수행에 부족한 부분은 없는지 성취도 평가를 통해 확인합니다.

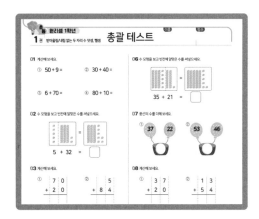

원리셈 100% 활용하기

☑ 책의 사이사이에 학생의 학습을 돕기 위한 저자의 내용을 잘 이용하세요.

📖 단원의 학습 내용과 방향

한 주차가 시작되는 쪽의 아래에 그 단원의 학습 내용과 어떤 방향으로 공부하는지를 설명해 놓았습니다.
학부모님이나 학생이 단원을 시작하기 전에 가볍게 읽어 보고 공부하도록 해 주세요.

📚 이해를 돕는 저자의 동영상 강의

처음 접하는 원리/개념과 연산 방법의 이해를 돕기 위한 동영상 강의가 있으니 이해가 어려운 내용은 QR코드를
이용하여 편리하게 동영상 강의를 보고, 공부하도록 하세요.

학습 동영상

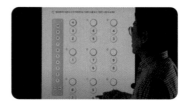

📓 학습 Tip　　간략한 도움글은 각 쪽의 아래에 있습니다.

✍ 천종현수학연구소 네이버 카페와 홈페이지를 활용하세요.

카페와 홈페이지에는 추가 문제 자료가 있고, 연산 외에서 수학 학습에 어려움을 상담 받을 수 있습니다.

네이버에서 **천종현수학연구소**를 검색하세요.

1주차
덧셈과 뺄셈의 관계

1일	덧셈을 뺄셈으로	10
2일	뺄셈을 덧셈으로	13
3일	검산식	16
4일	연산 퍼즐	19
5일	문장제	21

3, 4, 5주차의 예비 학습으로 덧셈식과 뺄셈식을 서로 바꾸는 것을 공부합니다. 3일차에서는 답을 구한 후 덧셈을 할 때는 뺄셈을 이용하여, 뺄셈을 할 때는 덧셈을 이용하여 검산하는 방법을 배웁니다.

1 일   덧셈을 뺄셈으로

🔔 덧셈식을 보고 뺄셈식을 만들어 보세요.

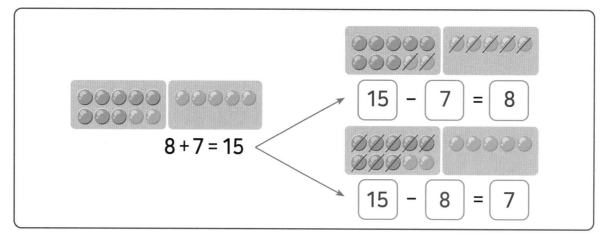

$$8 + 7 = 15$$

$$15 - 7 = 8$$

$$15 - 8 = 7$$

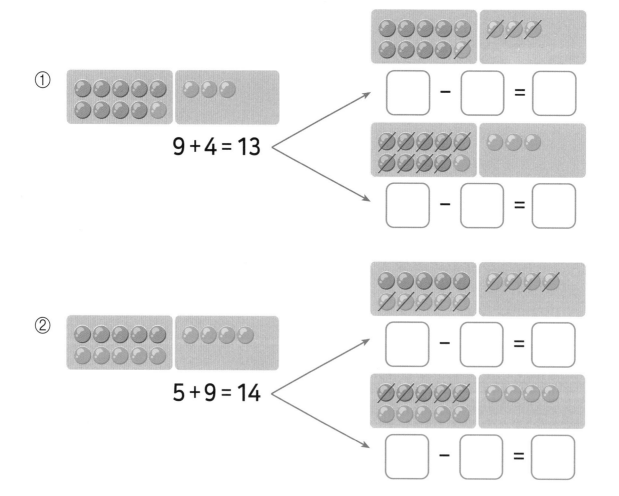

① $9 + 4 = 13$

$$\boxed{} - \boxed{} = \boxed{}$$

$$\boxed{} - \boxed{} = \boxed{}$$

② $5 + 9 = 14$

$$\boxed{} - \boxed{} = \boxed{}$$

$$\boxed{} - \boxed{} = \boxed{}$$

덧셈식을 보고 뺄셈식을 만들어 보세요.

①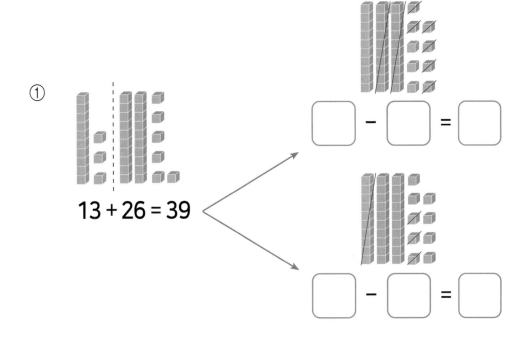

13 + 26 = 39

◯ − ◯ = ◯

◯ − ◯ = ◯

②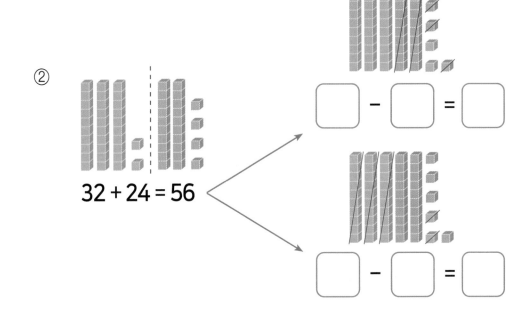

32 + 24 = 56

◯ − ◯ = ◯

◯ − ◯ = ◯

덧셈식을 보고 뺄셈식을 만들어 보세요.

① 5 + 6 = 11

□ − □ = □

□ − □ = □

② 6 + 7 = 13

□ − □ = □

□ − □ = □

③ 14 + 5 = 19

□ − □ = □

□ − □ = □

④ 52 + 14 = 66

□ − □ = □

□ − □ = □

⑤ 16 + 32 = 48

□ − □ = □

□ − □ = □

⑥ 8 + 9 = 17

□ − □ = □

□ − □ = □

⑦ 24 + 35 = 59

□ − □ = □

□ − □ = □

⑧ 7 + 8 = 15

□ − □ = □

□ − □ = □

뺄셈을 덧셈으로

동영상 해설

💡 뺄셈식을 보고 덧셈식을 만들어 보세요.

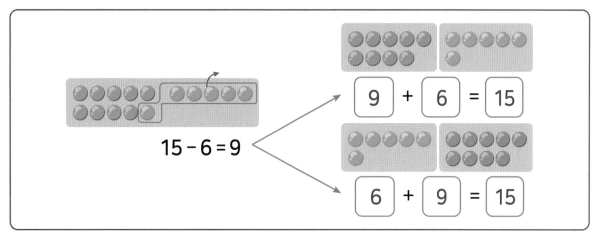

15 - 6 = 9

9 + 6 = 15

6 + 9 = 15

①

13 - 8 = 5

☐ + ☐ = ☐

☐ + ☐ = ☐

②

17 - 9 = 8

☐ + ☐ = ☐

☐ + ☐ = ☐

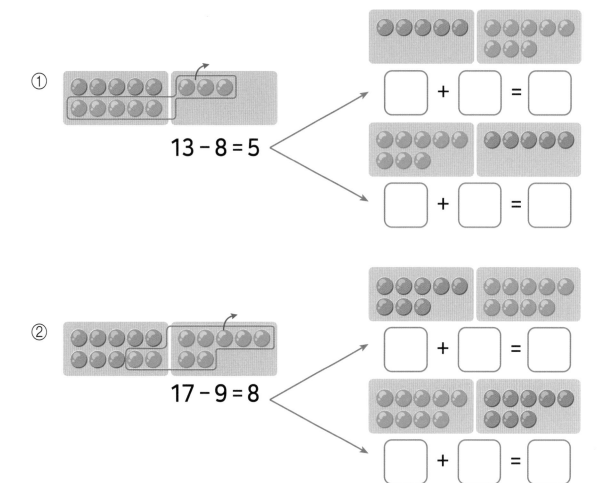

뺄셈식을 보고 덧셈식을 만들어 보세요.

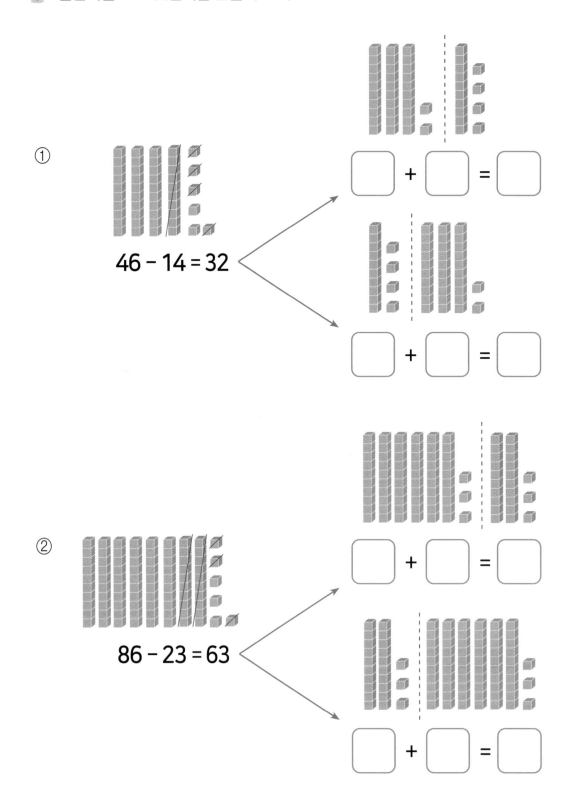

① 46 − 14 = 32

☐ + ☐ = ☐

☐ + ☐ = ☐

② 86 − 23 = 63

☐ + ☐ = ☐

☐ + ☐ = ☐

뺄셈식을 보고 덧셈식을 만들어 보세요.

① 13 – 8 = 5

☐ + ☐ = ☐
☐ + ☐ = ☐

② 11 – 4 = 7

☐ + ☐ = ☐
☐ + ☐ = ☐

③ 17 – 3 = 14

☐ + ☐ = ☐
☐ + ☐ = ☐

④ 68 – 45 = 23

☐ + ☐ = ☐
☐ + ☐ = ☐

⑤ 84 – 51 = 33

☐ + ☐ = ☐
☐ + ☐ = ☐

⑥ 12 – 8 = 4

☐ + ☐ = ☐
☐ + ☐ = ☐

⑦ 67 – 25 = 42

☐ + ☐ = ☐
☐ + ☐ = ☐

⑧ 23 – 13 = 10

☐ + ☐ = ☐
☐ + ☐ = ☐

관계가 있는 덧셈식과 뺄셈식을 이용하여 계산을 확인할 수 있어요.

$$9 + 3 = \boxed{12} \longrightarrow \text{검산식}: \ 12 - 3 = 9 \ (\text{또는} \ 12 - 9 = 3)$$

$$14 - 9 = \boxed{5} \longrightarrow \text{검산식}: \ 5 + 9 = 14 \ (\text{또는} \ 9 + 5 = 14)$$

★ □에 알맞은 수를 써넣고, 검산식으로 올바른 답인지 확인해 보세요.

① $11 - 5 = \boxed{} \longrightarrow$ 검산식 : ＿＿＿＿＿＿＿＿

② $64 - 21 = \boxed{} \longrightarrow$ 검산식 : ＿＿＿＿＿＿＿＿

③ $8 + 7 = \boxed{} \longrightarrow$ 검산식 : ＿＿＿＿＿＿＿＿

④ $36 + 12 = \boxed{} \longrightarrow$ 검산식 : ＿＿＿＿＿＿＿＿

Tip

계산이 맞는지 확인하는 식을 검산식이라고 합니다. 덧셈의 검산은 뺄셈으로, 뺄셈의 검산은 덧셈으로 해 보면 실수를 줄일 수 있습니다.

□에 알맞은 수를 써넣고, 검산식으로 올바른 답인지 확인해 보세요.

①   6 + 5 = ☐ ⟶   검산식 : _____

②   12 - 4 = ☐ ⟶   검산식 : _____

③   9 + 8 = ☐ ⟶   검산식 : _____

④   41 + 35 = ☐ ⟶   검산식 : _____

⑤   58 - 24 = ☐ ⟶   검산식 : _____

⑥   23 + 14 = ☐ ⟶   검산식 : _____

⑦   73 - 52 = ☐ ⟶   검산식 : _____

⑧   15 - 6 = ☐ ⟶   검산식 : _____

관계있는 덧셈식과 뺄셈식을 선으로 이어 보세요.

38 - 13 = 25 •

7 + 9 = 16 •

13 - 9 = 4 •

24 + 53 = 77 •

16 + 42 = 58 •

78 - 44 = 34 •

9 + 3 = 12 •

• 77 - 24 = 53

• 25 + 13 = 38

• 58 - 42 = 16

• 16 - 9 = 7

• 44 + 34 = 78

• 12 - 9 = 3

• 4 + 9 = 13

연산 퍼즐

 세 수로 덧셈식과 뺄셈식을 각각 2개씩 만들어 보세요.

①
79
62   17

☐ + ☐ = ☐
☐ + ☐ = ☐

☐ − ☐ = ☐
☐ − ☐ = ☐

②
25
23   48

☐ + ☐ = ☐
☐ + ☐ = ☐

☐ − ☐ = ☐
☐ − ☐ = ☐

③
6
15   9

☐ + ☐ = ☐
☐ + ☐ = ☐

☐ − ☐ = ☐
☐ − ☐ = ☐

④
49
32   17

☐ + ☐ = ☐
☐ + ☐ = ☐

☐ − ☐ = ☐
☐ − ☐ = ☐

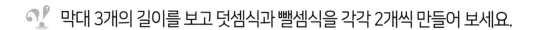

막대 3개의 길이를 보고 덧셈식과 뺄셈식을 각각 2개씩 만들어 보세요.

①
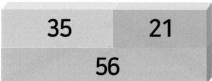

| 35 | 21 |
| 56 | |

☐ + ☐ = ☐

☐ + ☐ = ☐

☐ − ☐ = ☐

☐ − ☐ = ☐

②

| 8 | 6 |
| 14 | |

☐ + ☐ = ☐

☐ + ☐ = ☐

☐ − ☐ = ☐

☐ − ☐ = ☐

③
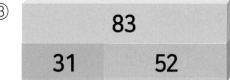

| 83 | |
| 31 | 52 |

☐ + ☐ = ☐

☐ + ☐ = ☐

☐ − ☐ = ☐

☐ − ☐ = ☐

④

| 39 | |
| 17 | 22 |

☐ + ☐ = ☐

☐ + ☐ = ☐

☐ − ☐ = ☐

☐ − ☐ = ☐

🎵 글과 그림을 보고 물음에 알맞은 답을 하세요.

아프리카의 한 들판에서 자고 있는 사자 13마리와 깨어 있는 사자 11마리가 있습니다.

⭐ 사자는 모두 몇 마리인지 덧셈식을 써서 알아보세요.

$$\boxed{13} + \boxed{11} = \boxed{24}$$

① 자고 있는 사자를 나타내는 뺄셈식을 써 보세요.

$$\boxed{24} - \boxed{} = \boxed{}$$

② 깨어 있는 사자를 나타내는 뺄셈식을 써 보세요.

$$\boxed{24} - \boxed{} = \boxed{}$$

문제를 읽고 알맞은 식과 답을 써 보세요.

 탁자 위에 바나나 9개와 딸기 8개가 있습니다.

① 탁자 위에 있는 과일은 모두 몇 개인지 덧셈식을 써서 알아보세요.

$$\boxed{} + \boxed{} = \boxed{}$$

② 바나나는 몇 개인지 뺄셈식을 써서 알아보세요.

$$\boxed{} - \boxed{} = \boxed{}$$

사탕이 11개 있었는데 그 중 7개를 먹었습니다.

③ 남은 사탕은 몇 개인지 뺄셈식을 써서 알아보세요.

$$\boxed{} - \boxed{} = \boxed{}$$

④ 처음 있던 사탕은 몇 개인지 덧셈식을 써서 알아보세요.

$$\boxed{} + \boxed{} = \boxed{}$$

문제를 읽고 알맞은 식과 답을 써 보세요.

집에 서랍을 열어 보니 바지가 22개, 티셔츠가 34개 있습니다.

① 서랍에 있는 바지와 티셔츠는 몇 개인지 덧셈식을 써서 알아보세요.

$$\boxed{} + \boxed{} = \boxed{}$$

② 서랍에 있는 티셔츠는 몇 개인지 뺄셈식을 써서 알아보세요.

$$\boxed{} - \boxed{} = \boxed{}$$

운동장에 48명이 체조를 하고 있는데 그 중 남학생이 26명입니다.

③ 운동장에 있는 여학생은 몇 명인지 뺄셈식을 써서 알아보세요.

$$\boxed{} - \boxed{} = \boxed{}$$

④ 운동장에 체조를 하고 있는 사람은 몇 명인지 덧셈식을 써서 알아보세요.

$$\boxed{} + \boxed{} = \boxed{}$$

 문제를 읽고 알맞은 식과 답을 써 보세요.

우산 가게에 보라색 우산 8개와 빨간색 우산 7개가 있습니다.

① 우산 가게에 있는 보라색 우산과 빨간색 우산은 몇 개인지 덧셈식을 써서 알아보세요.

$$\boxed{} + \boxed{} = \boxed{}$$

② 우산 가게에 있는 보라색 우산은 몇 개인지 뺄셈식을 써서 알아보세요.

$$\boxed{} - \boxed{} = \boxed{}$$

바둑알 통에 바둑알이 모두 59개 있는데 그 중 검은색 바둑알이 34개입니다.

③ 바둑알 통에 있는 흰색 바둑알은 몇 개인지 뺄셈식을 써서 알아보세요.

$$\boxed{} - \boxed{} = \boxed{}$$

④ 바둑알 통에 있는 바둑알은 몇 개인지 덧셈식을 써서 알아보세요.

$$\boxed{} + \boxed{} = \boxed{}$$

• **2**주차 •
도전! 계산왕

1일	덧셈과 뺄셈의 관계	26
2일	덧셈과 뺄셈의 관계	28
3일	덧셈과 뺄셈의 관계	30
4일	덧셈과 뺄셈의 관계	32
5일	덧셈과 뺄셈의 관계	34

덧셈과 뺄셈의 관계

□에 알맞은 수를 써넣고, 검산식으로 올바른 답인지 확인해 보세요.

① 4 + 7 = [   ] ⟶ 검산식 : _____

② 12 + 4 = [   ] ⟶ 검산식 : _____

③ 32 + 7 = [   ] ⟶ 검산식 : _____

④ 41 − 30 = [   ] ⟶ 검산식 : _____

⑤ 35 − 24 = [   ] ⟶ 검산식 : _____

⑥ 25 + 14 = [   ] ⟶ 검산식 : _____

⑦ 73 − 42 = [   ] ⟶ 검산식 : _____

⑧ 15 − 6 = [   ] ⟶ 검산식 : _____

⑨ 44 − 32 = [   ] ⟶ 검산식 : _____

⑩ 45 + 12 = [   ] ⟶ 검산식 : _____

덧셈과 뺄셈의 관계

💡 □에 알맞은 수를 써넣고, 검산식으로 올바른 답인지 확인해 보세요.

① 12 + 5 = ☐ ⟶ 검산식 : _____

② 15 − 8 = ☐ ⟶ 검산식 : _____

③ 13 + 6 = ☐ ⟶ 검산식 : _____

④ 12 + 25 = ☐ ⟶ 검산식 : _____

⑤ 32 − 21 = ☐ ⟶ 검산식 : _____

⑥ 43 − 11 = ☐ ⟶ 검산식 : _____

⑦ 13 − 5 = ☐ ⟶ 검산식 : _____

⑧ 16 − 7 = ☐ ⟶ 검산식 : _____

⑨ 24 − 13 = ☐ ⟶ 검산식 : _____

⑩ 17 + 32 = ☐ ⟶ 검산식 : _____

덧셈과 뺄셈의 관계

□에 알맞은 수를 써넣고, 검산식으로 올바른 답인지 확인해 보세요.

① 26 + 23 = ☐ ⟶ 검산식 : _____

② 12 + 25 = ☐ ⟶ 검산식 : _____

③ 19 − 8 = ☐ ⟶ 검산식 : _____

④ 21 + 42 = ☐ ⟶ 검산식 : _____

⑤ 58 − 41 = ☐ ⟶ 검산식 : _____

⑥ 12 − 4 = ☐ ⟶ 검산식 : _____

⑦ 17 + 32 = ☐ ⟶ 검산식 : _____

⑧ 43 − 11 = ☐ ⟶ 검산식 : _____

⑨ 34 − 22 = ☐ ⟶ 검산식 : _____

⑩ 13 + 14 = ☐ ⟶ 검산식 : _____

2일 ❷

덧셈과 뺄셈의 관계

💡 □에 알맞은 수를 써넣고, 검산식으로 올바른 답인지 확인해 보세요.

① $43 + 15 =$ ☐ ⟶ 검산식 : _____

② $23 + 5 =$ ☐ ⟶ 검산식 : _____

③ $7 + 8 =$ ☐ ⟶ 검산식 : _____

④ $11 - 3 =$ ☐ ⟶ 검산식 : _____

⑤ $18 - 6 =$ ☐ ⟶ 검산식 : _____

⑥ $8 + 9 =$ ☐ ⟶ 검산식 : _____

⑦ $13 + 42 =$ ☐ ⟶ 검산식 : _____

⑧ $13 - 5 =$ ☐ ⟶ 검산식 : _____

⑨ $28 - 21 =$ ☐ ⟶ 검산식 : _____

⑩ $45 + 14 =$ ☐ ⟶ 검산식 : _____

3일 ❶ 덧셈과 뺄셈의 관계

🎵 □에 알맞은 수를 써넣고, 검산식으로 올바른 답인지 확인해 보세요.

① $16 - 5 =$ ☐ ⟶　검산식 : _____

② $47 - 12 =$ ☐ ⟶　검산식 : _____

③ $6 + 8 =$ ☐ ⟶　검산식 : _____

④ $12 - 3 =$ ☐ ⟶　검산식 : _____

⑤ $32 - 11 =$ ☐ ⟶　검산식 : _____

⑥ $26 + 12 =$ ☐ ⟶　검산식 : _____

⑦ $29 - 18 =$ ☐ ⟶　검산식 : _____

⑧ $19 - 16 =$ ☐ ⟶　검산식 : _____

⑨ $36 - 14 =$ ☐ ⟶　검산식 : _____

⑩ $76 + 11 =$ ☐ ⟶　검산식 : _____

3일 ❷

덧셈과 뺄셈의 관계

☝ □에 알맞은 수를 써넣고, 검산식으로 올바른 답인지 확인해 보세요.

① 11 + 7 = ☐ ⟶ 검산식 : _____

② 62 + 14 = ☐ ⟶ 검산식 : _____

③ 41 + 24 = ☐ ⟶ 검산식 : _____

④ 41 + 45 = ☐ ⟶ 검산식 : _____

⑤ 23 − 12 = ☐ ⟶ 검산식 : _____

⑥ 67 − 43 = ☐ ⟶ 검산식 : _____

⑦ 88 − 63 = ☐ ⟶ 검산식 : _____

⑧ 92 − 41 = ☐ ⟶ 검산식 : _____

⑨ 65 − 33 = ☐ ⟶ 검산식 : _____

⑩ 56 + 32 = ☐ ⟶ 검산식 : _____

덧셈과 뺄셈의 관계

공부한 날 | 월 일
점 수 | / 10

❔ □에 알맞은 수를 써넣고, 검산식으로 올바른 답인지 확인해 보세요.

① 9 + 7 = ☐ ⟶ 검산식 : _____

② 13 − 4 = ☐ ⟶ 검산식 : _____

③ 43 − 31 = ☐ ⟶ 검산식 : _____

④ 21 + 78 = ☐ ⟶ 검산식 : _____

⑤ 64 − 34 = ☐ ⟶ 검산식 : _____

⑥ 27 + 22 = ☐ ⟶ 검산식 : _____

⑦ 69 − 22 = ☐ ⟶ 검산식 : _____

⑧ 16 + 12 = ☐ ⟶ 검산식 : _____

⑨ 14 − 12 = ☐ ⟶ 검산식 : _____

⑩ 26 + 43 = ☐ ⟶ 검산식 : _____

덧셈과 뺄셈의 관계

□에 알맞은 수를 써넣고, 검산식으로 올바른 답인지 확인해 보세요.

① $14 + 5 =$ ☐ ⟶ 검산식 : _____

② $16 - 4 =$ ☐ ⟶ 검산식 : _____

③ $17 + 61 =$ ☐ ⟶ 검산식 : _____

④ $77 - 55 =$ ☐ ⟶ 검산식 : _____

⑤ $38 - 24 =$ ☐ ⟶ 검산식 : _____

⑥ $6 + 7 =$ ☐ ⟶ 검산식 : _____

⑦ $11 - 8 =$ ☐ ⟶ 검산식 : _____

⑧ $13 + 3 =$ ☐ ⟶ 검산식 : _____

⑨ $21 - 10 =$ ☐ ⟶ 검산식 : _____

⑩ $42 + 17 =$ ☐ ⟶ 검산식 : _____

5일 ❶

덧셈과 뺄셈의 관계

🔑 □에 알맞은 수를 써넣고, 검산식으로 올바른 답인지 확인해 보세요.

① $14 - 5 =$ ☐ ⟶ 검산식: _____

② $15 - 9 =$ ☐ ⟶ 검산식: _____

③ $19 + 10 =$ ☐ ⟶ 검산식: _____

④ $23 + 65 =$ ☐ ⟶ 검산식: _____

⑤ $52 - 11 =$ ☐ ⟶ 검산식: _____

⑥ $11 - 7 =$ ☐ ⟶ 검산식: _____

⑦ $64 - 42 =$ ☐ ⟶ 검산식: _____

⑧ $95 - 72 =$ ☐ ⟶ 검산식: _____

⑨ $29 - 12 =$ ☐ ⟶ 검산식: _____

⑩ $13 + 26 =$ ☐ ⟶ 검산식: _____

5일 ❷

덧셈과 뺄셈의 관계

□에 알맞은 수를 써넣고, 검산식으로 올바른 답인지 확인해 보세요.

① 33 + 5 = ☐ ⟶ 검산식 : _____

② 29 − 16 = ☐ ⟶ 검산식 : _____

③ 17 + 32 = ☐ ⟶ 검산식 : _____

④ 43 − 11 = ☐ ⟶ 검산식 : _____

⑤ 78 − 56 = ☐ ⟶ 검산식 : _____

⑥ 42 + 43 = ☐ ⟶ 검산식 : _____

⑦ 79 − 32 = ☐ ⟶ 검산식 : _____

⑧ 95 − 73 = ☐ ⟶ 검산식 : _____

⑨ 37 − 15 = ☐ ⟶ 검산식 : _____

⑩ 28 + 11 = ☐ ⟶ 검산식 : _____

• 3주차 •

몇+□

1일	몇+□	38
2일	수직선과 수 막대	41
3일	저울산	44
4일	연산 퍼즐	46
5일	문장제	49

다양한 덧셈식에서 □를 구하는 것을 공부합니다. 1일차에서 왜 덧셈식에서 □를 구할 때 뺄셈식을 사용하는지 원리를 그림을 통해서 생각해 보도록 하였고, 2일차부터 수직선, 수 막대, 저울, 사다리, 문장제 등으로 다양하게 □에 알맞은 수를 구해 봅니다.

그림과 식을 보고 □에 알맞은 수를 써넣으세요.

$26 + ?\ = 38$

$?\ = 38 - 26 = 12$

① $12 + ?\ = 46$

$?\ = \boxed{} - \boxed{} = \boxed{}$

② $?\ + 7\ = 48$

$?\ = \boxed{} - \boxed{} = \boxed{}$

그림과 식을 보고 ☐에 알맞은 수를 써넣으세요.

①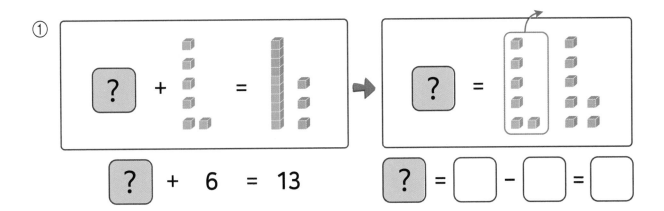

? + 6 = 13

? = ☐ – ☐ = ☐

②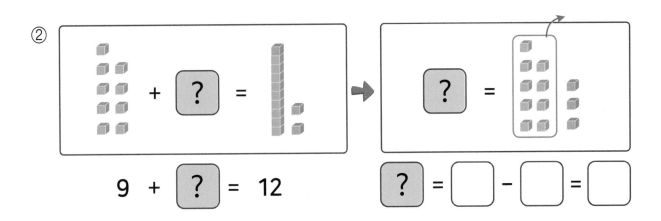

9 + ? = 12

? = ☐ – ☐ = ☐

③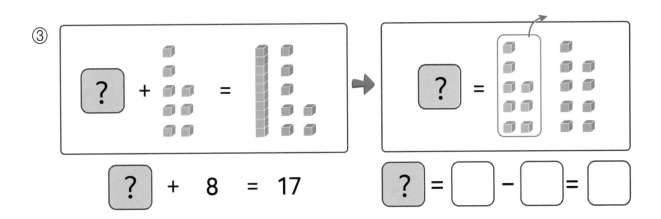

? + 8 = 17

? = ☐ – ☐ = ☐

□에 알맞은 수를 써넣어 ▲를 구하세요.

① 32 + ▲ = 75

▲ = ☐ − ☐ = ☐

② ▲ + 8 = 13

▲ = ☐ − ☐ = ☐

③ ▲ + 8 = 69

▲ = ☐ − ☐ = ☐

④ 5 + ▲ = 12

▲ = ☐ − ☐ = ☐

⑤ 17 + ▲ = 39

▲ = ☐ − ☐ = ☐

⑥ ▲ + 9 = 14

▲ = ☐ − ☐ = ☐

⑦ ▲ + 45 = 49

▲ = ☐ − ☐ = ☐

⑧ ▲ + 6 = 12

▲ = ☐ − ☐ = ☐

⑨ 24 + ▲ = 47

▲ = ☐ − ☐ = ☐

⑩ 7 + ▲ = 15

▲ = ☐ − ☐ = ☐

수직선과 수 막대

❓ ★을 구하세요.

①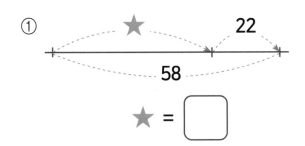

★ = ☐

②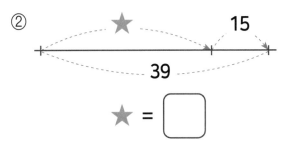

★ = ☐

③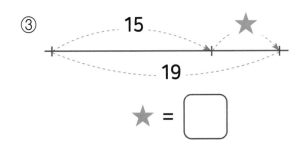

★ = ☐

④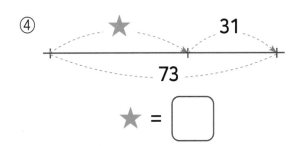

★ = ☐

⑤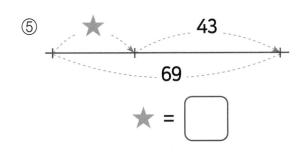

★ = ☐

⑥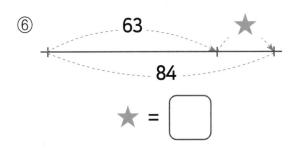

★ = ☐

⑦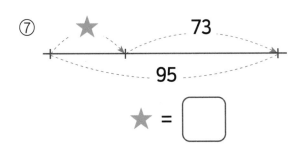

★ = ☐

⑧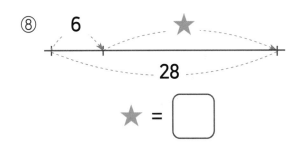

★ = ☐

수 막대를 붙여 놓았습니다. ☐에 막대의 길이를 써넣으세요.

①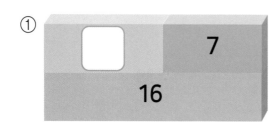
☐ 7
16

②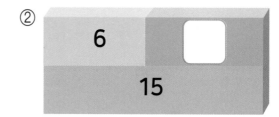
6 ☐
15

③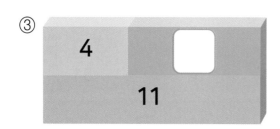
4 ☐
11

④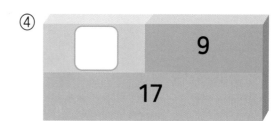
☐ 9
17

⑤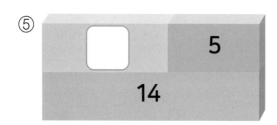
☐ 5
14

⑥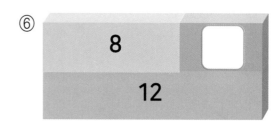
8 ☐
12

⑦
☐ 8
15

⑧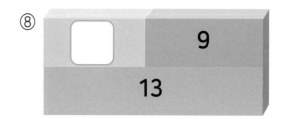
☐ 9
13

⑨
9 ☐
16

⑩
☐ 3
11

□ 에 알맞은 수를 써넣으세요.

① 22 + □ = 39

② □ + 36 = 38

③ 9 + □ = 15

④ □ + 3 = 12

⑤ 7 + □ = 14

⑥ □ + 7 = 13

⑦ 14 + □ = 26

⑧ □ + 8 = 16

⑨ 5 + □ = 12

⑩ □ + 7 = 28

⑪ 18 + □ = 79

⑫ □ + 6 = 11

⑬ 16 + □ = 47

⑭ □ + 33 = 38

⑮ 8 + □ = 13

⑯ □ + 23 = 49

□에 알맞은 수를 써넣으세요.

①

②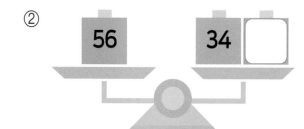

③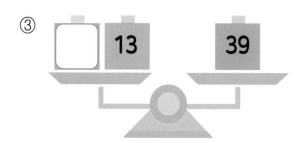

④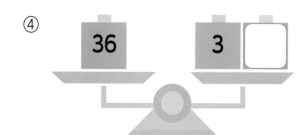

⑤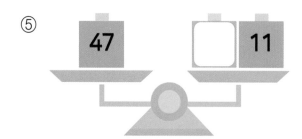

⑥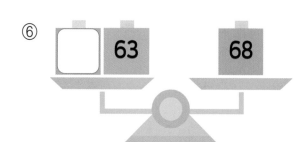

⑦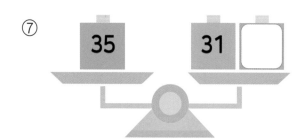

⑧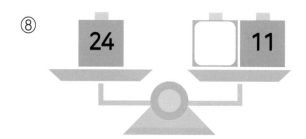

⑨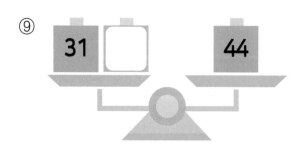

⑩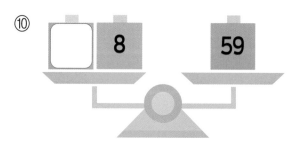

□에 알맞은 수를 써넣으세요.

①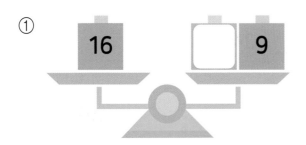

16 [ ] 9

②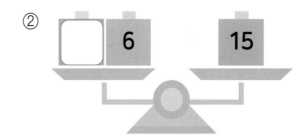

[ ] 6 15

③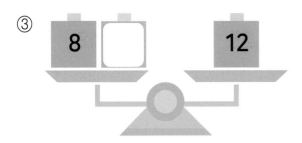

8 [ ] 12

④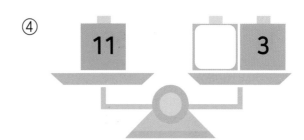

11 [ ] 3

⑤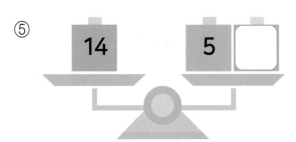

14 5 [ ]

⑥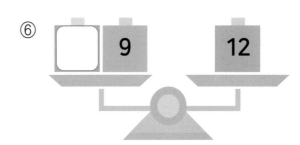

[ ] 9 12

⑦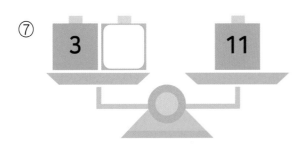

3 [ ] 11

⑧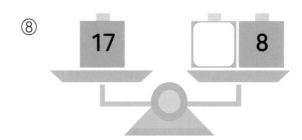

17 [ ] 8

⑨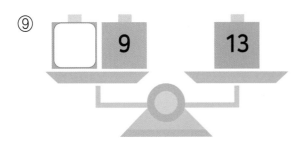

[ ] 9 13

⑩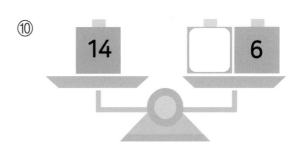

14 [ ] 6

□에 알맞은 수를 써넣으세요.

□ + 8 = 13

□ + □ = 56 - 45

14 + □ = 56

9 + □ = □

14 + □ = 25

25 + □ = 48 + □ = 99

□ + 36 = 48

□ + 7 = 12

□ + □ = 13

13 + □ = 48 = □ - 3 = □

50 + 3

사다리를 타고 덧셈을 한 결과를 보고 ☐에 알맞은 수를 써넣으세요.

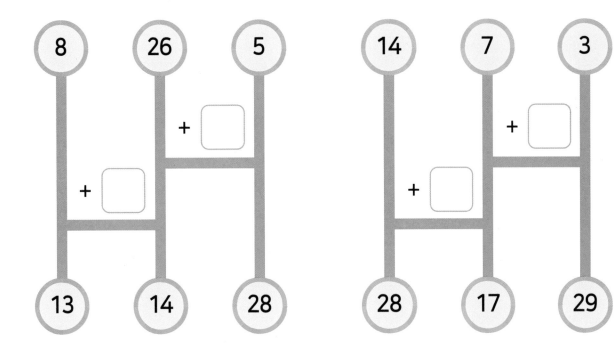

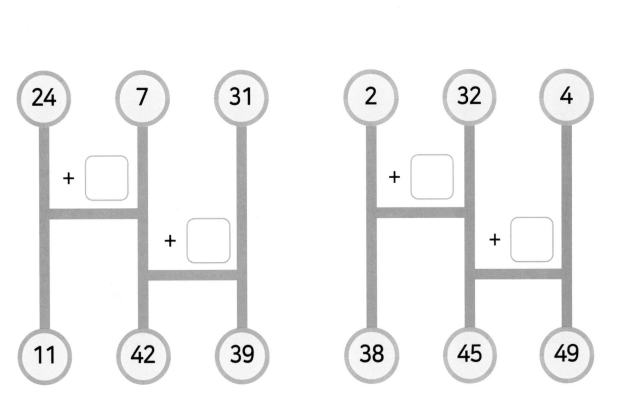

규칙을 찾아 빈 곳에 알맞은 수를 써넣으세요.

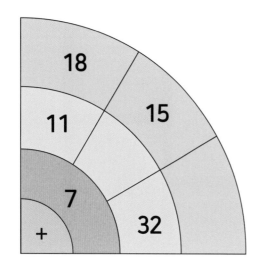

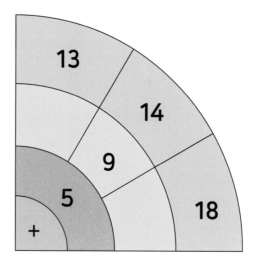

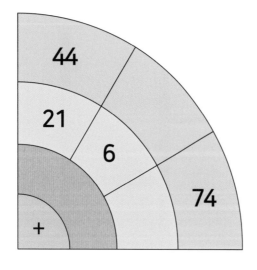

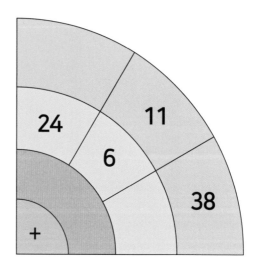

글과 그림을 보고 □가 있는 식을 세우고 답을 구하세요.

> 혜규는 빨간 구슬 21개와 파란 구슬 6개를 가지고 있었는데 친구에게 몇 개의 구슬을 받고 나니 빨간 구슬은 32개, 파란 구슬은 13개가 되었습니다.

⭐ 혜규가 받은 빨간 구슬은 몇 개일까요?

식 : $21 + \square = 32$ 답 : _11_ 개

① 혜규가 받은 파란 구슬은 몇 개일까요?

식 : _____   답 : _____ 개

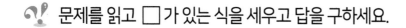 문제를 읽고 □가 있는 식을 세우고 답을 구하세요.

① 검은색 바둑알이 들어 있는 바둑알 통에 흰색 바둑알 18개를 넣었습니다. 바둑알을 모두 꺼내 세어 보니 모두 39개일 때, 원래 있던 검은색 바둑알은 몇 개일까요?

식 : _____   답 : _____ 개

② 상자에 9자루의 몽당연필이 있습니다. 몇 자루의 몽당연필을 넣었더니 15자루가 되었습니다. 상자에 넣은 몽당연필은 몇 자루일까요?

식 : _____   답 : _____ 자루

😊 문제를 읽고 □가 있는 식을 세우고 답을 구하세요.

① 파란색 클립 8개가 있었는데 빨간색 클립 몇 개를 더했더니 클립이 모두 14개가 되었습니다. 더해진 빨간색 클립은 몇 개일까요?

식 : _____   답 : _____개

② 사탕 23개가 있었는데 친구에게 사탕 몇 개를 더 받고 나니 사탕이 모두 57개가 되었습니다. 친구에게 받은 사탕은 몇 개일까요?

식 : _____   답 : _____개

③ 냉장고에 달걀 몇 개가 있었는데 어머님께서 21개의 달걀을 더 사 오셔서 냉장고의 달걀은 모두 45개가 되었습니다. 처음 냉장고에 있던 달걀은 몇 개일까요?

식 : _____   답 : _____개

🎵 문제를 읽고 □가 있는 식을 세우고 답을 구하세요.

① 놀이터에서 9명의 아이들이 놀고 있었는데 몇 명의 아이들이 와서 모두 13명이 되었습니다. 몇 명의 아이들이 놀이터에 놀러 왔을까요?

식 : _____   답 : _____ 명

② 색종이를 접어 종이비행기 몇 개를 만들었는데 6개를 더 만드니 모두 12개가 되었습니다. 처음에 만들었던 종이비행기는 몇 개일까요?

식 : _____   답 : _____ 개

③ 극장에서 영화 시작 전에 모두 67명이 있었는데 영화가 끝난 후 보니 78명이 되었습니다. 나중에 들어온 사람은 몇 명일까요?

식 : _____   답 : _____ 명

4주차

몇-□

1일	몇-□	54
2일	수직선	57
3일	엘리베이터	60
4일	연산 퍼즐	62
5일	문장제	65

어떤 수에서 □를 빼었을 때 □를 구하는 것을 공부합니다. 1일차에서 □를 구할 때 다른 뺄셈식을 사용하는 원리를 그림을 통해서 생각해 보도록 하였고, 2일차부터 다양한 소재로 □를 구해 봅니다.

🔑 그림과 식을 보고 □에 알맞은 수를 써넣으세요.

[그림] ⬛ – ? = ⬛ ➡ ? = ⬛

34 – ? = 12

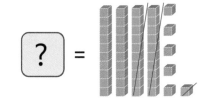

? = 34 – 12 = 22

① [그림] ⬛ – ? = ⬛ ➡ ? = ⬛

46 – ? = 21

? = ☐ – ☐ = ☐

② [그림] ⬛ – ? = ⬛ ➡ ? = ⬛

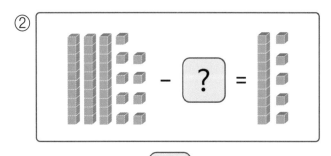
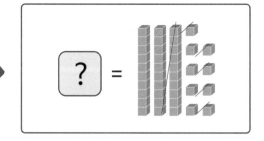

39 – ? = 15

? = ☐ – ☐ = ☐

그림과 식을 보고 □에 알맞은 수를 써넣으세요.

① 14 − [?] = 9

[?] = □ − □ = □

② 11 − [?] = 4

[?] = □ − □ = □

③ 15 − [?] = 8

[?] = □ − □ = □

□에 알맞은 수를 써넣어 ▲를 구하세요.

① 32 − ▲ = 11

▲ = ☐ − ☐ = ☐

② 15 − ▲ = 6

▲ = ☐ − ☐ = ☐

③ 17 − ▲ = 9

▲ = ☐ − ☐ = ☐

④ 38 − ▲ = 23

▲ = ☐ − ☐ = ☐

⑤ 65 − ▲ = 23

▲ = ☐ − ☐ = ☐

⑥ 11 − ▲ = 5

▲ = ☐ − ☐ = ☐

⑦ 49 − ▲ = 18

▲ = ☐ − ☐ = ☐

⑧ 12 − ▲ = 8

▲ = ☐ − ☐ = ☐

⑨ 16 − ▲ = 7

▲ = ☐ − ☐ = ☐

⑩ 37 − ▲ = 24

▲ = ☐ − ☐ = ☐

수직선

★을 구하세요.

①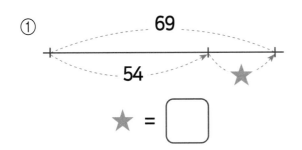

69
54

★ = ☐

②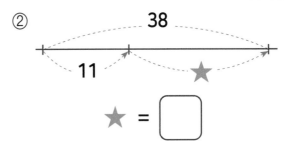

38
11

★ = ☐

③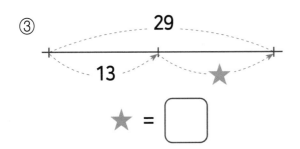

29
13

★ = ☐

④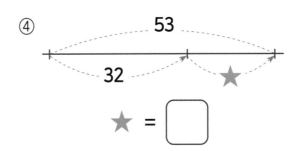

53
32

★ = ☐

⑤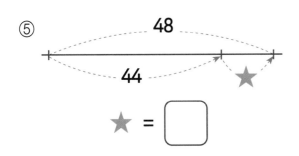

48
44

★ = ☐

⑥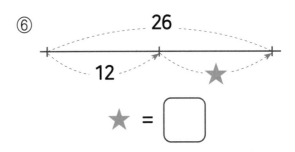

26
12

★ = ☐

⑦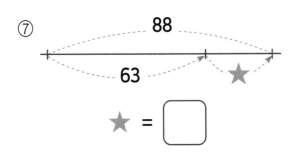

88
63

★ = ☐

⑧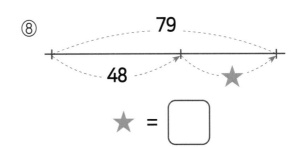

79
48

★ = ☐

♥ 를 구하세요.

①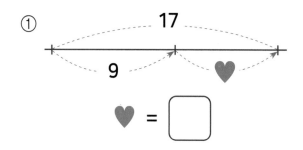

♥ = ☐

②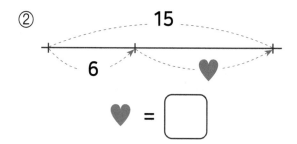

♥ = ☐

③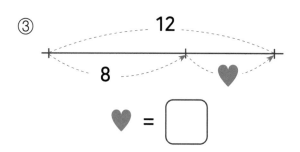

♥ = ☐

④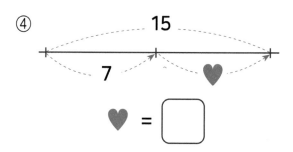

♥ = ☐

⑤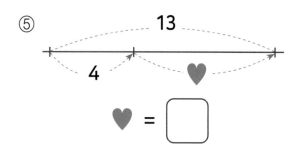

♥ = ☐

⑥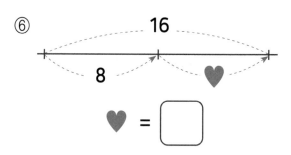

♥ = ☐

⑦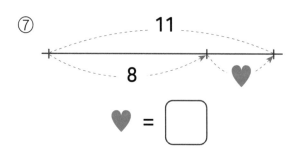

♥ = ☐

⑧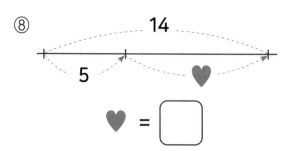

♥ = ☐

❓ □에 알맞은 수를 써넣으세요.

① 53 - □ = 42

② 14 - □ = 7

③ 11 - □ = 6

④ 37 - □ = 31

⑤ 68 - □ = 31

⑥ 13 - □ = 6

⑦ 45 - □ = 31

⑧ 16 - □ = 9

⑨ 12 - □ = 6

⑩ 89 - □ = 36

⑪ 15 - □ = 9

⑫ 29 - □ = 11

⑬ 58 - □ = 44

⑭ 12 - □ = 7

⑮ 13 - □ = 8

⑯ 58 - □ = 23

❓ 안의 수는 엘리베이터가 서 있는 층을 나타내고, ↓◯는 엘리베이터가 내려간 층의 수를 나타냅니다. ◯에 엘리베이터가 내려간 층의 수를 써넣으세요.

①

②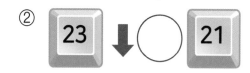

③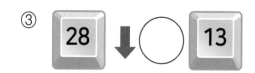

④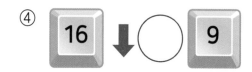

⑤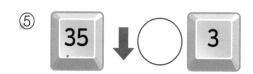

⑥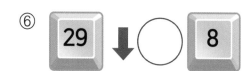

⑦

⑧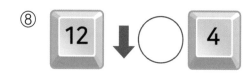

⑨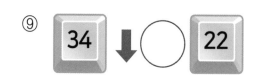

⑩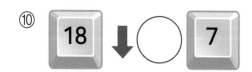

⑪

○에 엘리베이터가 내려간 층의 수를 써넣으세요.

① 12 ↓ ◯ 9

② 26 ↓ ◯ 13

③ 27 ↓ ◯ 2

④ 13 ↓ ◯ 5

⑤ 11 ↓ ◯ 7

⑥ 17 ↓ ◯ 8

⑦ 19 ↓ ◯ 14

⑧ 28 ↓ ◯ 11

⑨ 14 ↓ ◯ 7

⑩ 17 ↓ ◯ 3

⑪ 29 ↓ ◯ 22

⑫ 11 ↓ ◯ 3

⑬ 14 ↓ ◯ 5

⑭ 27 ↓ ◯ 6

같은 위치의 수를 빼서 나온 결과를 보고 표를 완성하세요.

15	18	22
48	14	67
11	37	16

I

=

7	9	20
16	8	42
3	21	7

같은 위치의 수를 빼서 나온 결과를 보고 표를 완성하세요.

43	17	26
39	19	11
12	48	69

ㅣ

＝

31	11	21
7	9	6
10	26	51

사다리를 타고 뺄셈을 한 결과를 보고 □에 알맞은 수를 써넣으세요.

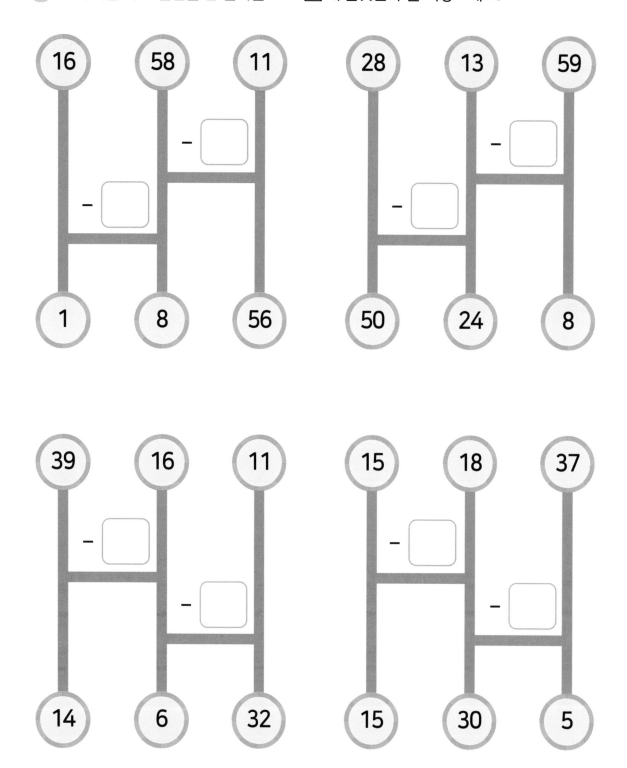

글과 그림을 보고 □ 가 있는 식을 세우고 답을 구하세요.

10원짜리 동전이 17개, 100원짜리 동전이 13개 들어 있던 저금통에서 동전을 꺼냈더니 저금통에 10원짜리 동전은 8개, 100원짜리 동전은 11개가 남았습니다.

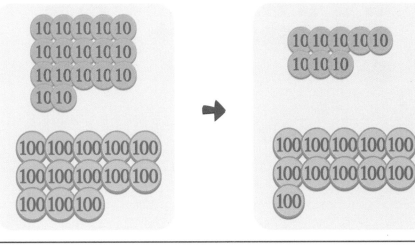

★ 저금통에서 꺼낸 10원짜리 동전은 몇 개일까요?

식 : $17 - \square = 8$ 답 : 9 개

① 저금통에서 꺼낸 100원짜리 동전은 몇 개일까요?

식 : _____   답 : _____ 개

 문제를 읽고 ☐ 가 있는 식을 세우고 답을 구하세요.

① 냉장고에 사과 11개가 있었는데 가족들과 함께 몇 개를 먹고 나니 4개가 되었습니다.
먹은 사과는 몇 개일까요?

식 : _____   답 : _____ 개

② 신발 가게에 장화 19켤레가 있었는데 몇 개가 팔리고 12켤레가 남았습니다. 팔린 장
화는 몇 켤레일까요?

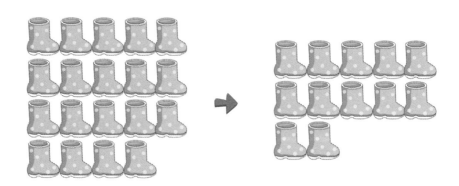

식 : _____   답 : _____ 켤레

문제를 읽고 □가 있는 식을 세우고 답을 구하세요.

① 교실에 13명의 학생이 있었는데 여학생들이 합창 연습 때문에 모두 나가고 남학생 7 명만 남았습니다. 교실에 있던 여학생은 몇 명일까요?

식 : _____   답 : _____ 명

② 흰색 탁구공과 주황색 탁구공이 모두 37개가 있었는데 주황색 탁구공을 모두 꺼내었 더니 흰색 탁구공이 21개였습니다. 주황색 탁구공은 몇 개일까요?

식 : _____   답 : _____ 개

③ 성호의 필통에는 빨간색 색연필과 파란색 색연필을 합하여 11자루가 들어 있는데 빨 간색 색연필을 모두 꺼내었더니 남은 파란색 색연필이 6자루입니다. 필통에 들어 있던 빨간색 색연필은 몇 자루일까요?

식 : _____   답 : _____ 자루

💡 문제를 읽고 ☐ 가 있는 식을 세우고 답을 구하세요.

① 서점에 평소 사고 싶었던 동화책이 15권 있었는데 다음 날 가 보니 6권만 남아 있었습니다. 팔린 동화책은 몇 권일까요?

식 : _____ 답 : _____ 권

② 여러 가지 모양을 만들어 보려고 32개의 성냥개비를 모았는데 몇 개의 성냥개비를 사용하였더니 11개의 성냥개비가 남았습니다. 사용한 성냥개비는 몇 개일까요?

식 : _____ 답 : _____ 개

③ 27개의 수학 문제가 있는데 그 중 몇 문제를 풀고, 풀지 못한 문제를 세어 보니 4문제였습니다. 푼 문제는 몇 문제일까요?

식 : _____ 답 : _____ 문제

• **5**주차 •

□-몇

1일	□-몇	70
2일	수직선	73
3일	엘리베이터	76
4일	연산 퍼즐	78
5일	문장제	81

□에서 어떤 수를 뺐을 때 □를 구하는 것을 공부합니다. 1일차에서 □를 구할 때 뺄셈식을 덧셈식으로 바꾸어서 구하는 원리를 그림을 통해서 생각해 보도록 하였고, 4일차에서는 □와 어떤 수의 차만 알 때 □는 2개가 있을 수 있음을 알아봅니다.

🔍 그림과 식을 보고 □에 알맞은 수를 써넣으세요.

?	−		=	

? − 23 = 14

➡

? =

? = 14 + 23 = 37

①

? − | = |

? − 35 = 11

➡

? =

? = ☐ + ☐ = ☐

②

? − | = |

? − 16 = 23

➡

? =

? = ☐ + ☐ = ☐

그림과 식을 보고 ☐에 알맞은 수를 써넣으세요.

①
? − =

? − 8 = 7

➡

? =

? = ☐ + ☐ = ☐

②
? − =

? − 4 = 9

➡

? =

? = ☐ + ☐ = ☐

③
? − =

? − 3 = 8

➡

? =

? = ☐ + ☐ = ☐

□에 알맞은 수를 써넣어 ◆를 구하세요.

① ◆ − 8 = 9

◆ = □ + □ = □

② ◆ − 25 = 14

◆ = □ + □ = □

③ ◆ − 31 = 42

◆ = □ + □ = □

④ ◆ − 2 = 9

◆ = □ + □ = □

⑤ ◆ − 6 = 6

◆ = □ + □ = □

⑥ ◆ − 5 = 63

◆ = □ + □ = □

⑦ ◆ − 4 = 8

◆ = □ + □ = □

⑧ ◆ − 21 = 18

◆ = □ + □ = □

⑨ ◆ − 12 = 3

◆ = □ + □ = □

⑩ ◆ − 9 = 6

◆ = □ + □ = □

🎵 ♣를 구하세요.

①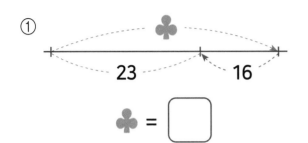

23   16

♣ = ☐

②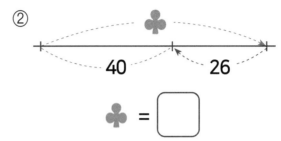

40   26

♣ = ☐

③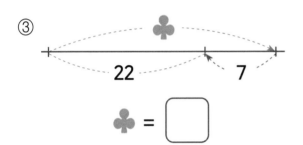

22   7

♣ = ☐

④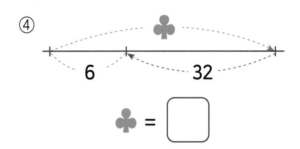

6   32

♣ = ☐

⑤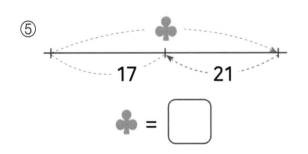

17   21

♣ = ☐

⑥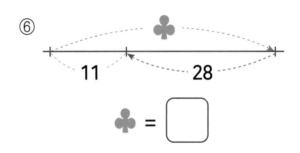

11   28

♣ = ☐

⑦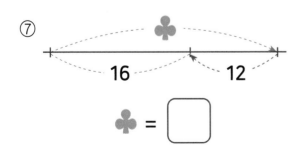

16   12

♣ = ☐

⑧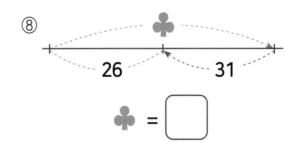

26   31

♣ = ☐

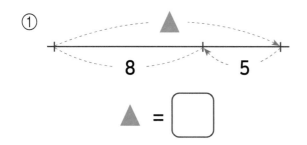△를 구하세요.

①

8   5

△ = ☐

②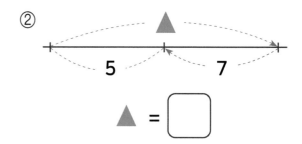

5   7

△ = ☐

③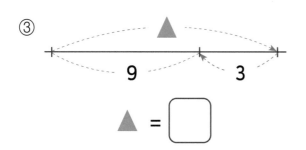

9   3

△ = ☐

④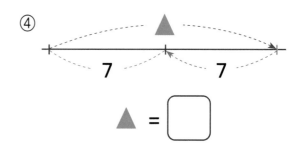

7   7

△ = ☐

⑤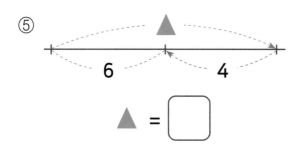

6   4

△ = ☐

⑥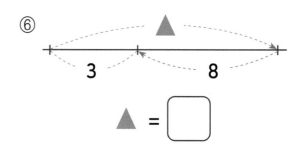

3   8

△ = ☐

⑦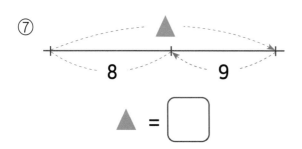

8   9

△ = ☐

⑧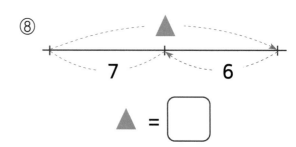

7   6

△ = ☐

□에 알맞은 수를 써넣으세요.

① □ − 31 = 16

② □ − 6 = 9

③ □ − 8 = 11

④ □ − 8 = 3

⑤ □ − 37 = 21

⑥ □ − 5 = 8

⑦ □ − 46 = 22

⑧ □ − 9 = 8

⑨ □ − 35 = 3

⑩ □ − 7 = 9

⑪ □ − 67 = 11

⑫ □ − 6 = 9

⑬ □ − 54 = 25

⑭ □ − 5 = 5

⑮ □ − 26 = 33

⑯ □ − 8 = 9

📖 안의 수는 엘리베이터가 서 있는 층을 나타내고, ↓◯는 엘리베이터가 내려간 층의 수를 나타냅니다. ⬜에 엘리베이터가 출발한 층의 수를 써넣으세요.

①

②

③

④

⑤

⑥

⑦

⑧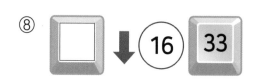

⑨

⑩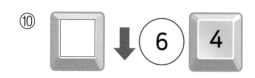

⑪

⑫

□에 엘리베이터가 출발한 층의 수를 써넣으세요.

①

②

③

④

⑤

⑥

⑦

⑧

⑨

⑩

⑪

⑫

⑬

⑭

🔑 ◯ 안의 수는 두 수의 차를 나타냅니다.

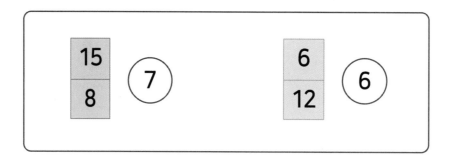

⭐ 두 수의 차를 보고 △가 나타내는 수를 모두 구해 보세요.

①

$$△ - 9 = 7 \longrightarrow △ = 7 + 9$$

$$△ = \boxed{}$$

$$9 - △ = 7 \longrightarrow △ = 9 - 7$$

$$△ = \boxed{}$$

②

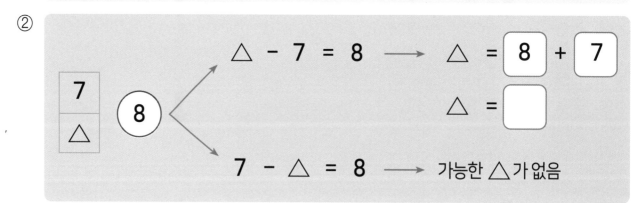

$$△ - 7 = 8 \longrightarrow △ = 8 + 7$$

$$△ = \boxed{}$$

$$7 - △ = 8 \longrightarrow 가능한 △가 없음$$

Tip 두 수 중 한 수를 모르고 차를 아는 경우는 어떤 수가 두 가지 수가 나올 수 있습니다.

두 수의 차를 보고 △가 나타내는 수를 모두 구해 보세요.

①
$$\dfrac{\triangle}{12} \quad 5$$

$$\triangle - 12 = 5 \longrightarrow \triangle = \boxed{} + \boxed{}$$

$$\triangle = \boxed{}$$

$$12 - \triangle = 5 \longrightarrow \triangle = \boxed{} - \boxed{}$$

$$\triangle = \boxed{}$$

②
$$\dfrac{\triangle}{5} \quad 8$$

$$\triangle - 5 = 8 \longrightarrow \triangle = \boxed{} + \boxed{}$$

$$\triangle = \boxed{}$$

$$5 - \triangle = 8 \longrightarrow \text{가능한 } \triangle \text{가 없음}$$

③
$$\dfrac{\triangle}{13} \quad 4$$

$$\triangle - 13 = 4 \longrightarrow \triangle = \boxed{} + \boxed{}$$

$$\triangle = \boxed{}$$

$$13 - \triangle = 4 \longrightarrow \triangle = \boxed{} - \boxed{}$$

$$\triangle = \boxed{}$$

알맞은 수에 ○표 하세요. 만약 알맞은 수가 2개이면 둘 모두에 ○표 하세요.

13과의 차가 5인 수

5 7 8 15 18

7과의 차가 6인 수

1 6 9 13 16

8과의 합이 11인 수

3 6 8 15 19

5와의 합이 9인 수

2 4 6 9 14

6과의 차가 9인 수

3 5 14 15 17

8과의 차가 4인 수

2 4 9 11 12

6과의 합이 17인 수

1 7 9 11 13

9와의 합이 13인 수

1 4 7 14 16

4와의 차가 7인 수

1 3 5 11 13

9와의 차가 4인 수

5 7 8 12 13

🔔 글과 그림을 보고 □ 가 있는 식을 세우고 답을 구하세요.

> 서진이가 딸기 맛 사탕 18개, 포도 맛 사탕 5개를 친구들에게 나누어 주었더니 딸기 맛 사탕은 21개, 포도 맛 사탕은 6개가 남았습니다.

★ 서진이가 가지고 있던 딸기 맛 사탕은 몇 개일까요?

식 : $\square - 18 = 21$ 답 : __39__ 개

① 서진이가 가지고 있던 포도 맛 사탕은 몇 개일까요?

식 : _____   답 : _____ 개

 문제를 읽고 ☐ 가 있는 식을 세우고 답을 구하세요.

① 아이스크림을 사서 친구들과 7개를 나눠 먹었더니 9개의 아이스크림이 남았습니다. 처음 산 아이스크림은 몇 개일까요?

식 : _____ 답 : _____ 개

② 7년 전에 찍은 아버지의 사진을 보았습니다. 그때의 아버지의 나이가 31살이었다면 현재 아버지의 나이는 몇 살일까요?

식 : _____ 답 : _____ 살

문제를 읽고 □가 있는 식을 세우고 답을 구하세요.

① 어머니가 단팥빵을 사오셨는데 9개를 먹고 나니 9개가 남았습니다. 어머니가 사 오신 단팥빵은 몇 개일까요?

식 : _____   답 : _____ 개

② 집에 있는 공구함에서 못 7개를 사용하였더니 32개의 못이 남았습니다. 공구함에 있던 못은 몇 개일까요?

식 : _____   답 : _____ 개

③ 주차장에서 차 16대가 나갔는데 아직 23대의 차가 더 주차되어 있습니다. 주차장에 주차되어 있던 차는 몇 대일까요?

식 : _____   답 : _____ 대

🎵 문제를 읽고 ☐가 있는 식을 세우고 답을 구하세요.

① 정호는 가족들과 할머니 댁에 가서 감자를 캤습니다. 캔 감자 중에서 23개를 저녁에 먹었는데 14개의 감자가 남아 있다면 할머니 댁에서 캔 감자는 몇 개일까요?

식 : _____   답 : _____ 개

② 색종이로 종이학 28개를 접었는데 색종이가 51장 남아 있습니다. 종이학을 접기 전에 있었던 색종이는 몇 장일까요?

식 : _____   답 : _____ 장

③ 합창 대회에서 7팀이 노래를 불렀습니다. 9팀이 더 남아 있다고 할 때, 합창 대회에 참가한 팀은 모두 몇 팀일까요?

식 : _____   답 : _____ 팀

· **6**주차 ·

도전! 계산왕

1일	□ 구하기	86
2일	□ 구하기	88
3일	□ 구하기	90
4일	□ 구하기	92
5일	□ 구하기	94

□ 구하기

계산해 보세요.

① 5 + ☐ = 13

② 11 − ☐ = 5

③ ☐ − 4 = 9

④ 8 + ☐ = 16

⑤ 13 − ☐ = 9

⑥ ☐ − 8 = 4

⑦ ☐ + 8 = 11

⑧ 14 − ☐ = 6

⑨ ☐ − 6 = 9

⑩ ☐ + 5 = 12

⑪ 11 − ☐ = 7

⑫ ☐ − 6 = 7

⑬ 7 + ☐ = 14

⑭ 13 − ☐ = 7

⑮ ☐ − 9 = 3

⑯ ☐ + 4 = 11

⑰ 11 − ☐ = 2

⑱ ☐ − 4 = 8

⑲ ☐ + 8 = 13

⑳ 16 − ☐ = 9

㉑ ☐ − 5 = 9

㉒ ☐ + 7 = 16

㉓ 14 − ☐ = 9

㉔ ☐ − 8 = 9

□ 구하기

ℚ 계산해 보세요.

① $6 + \boxed{} = 12$

② $13 - \boxed{} = 7$

③ $\boxed{} - 6 = 9$

④ $4 + \boxed{} = 12$

⑤ $13 - \boxed{} = 5$

⑥ $\boxed{} - 8 = 6$

⑦ $\boxed{} + 7 = 16$

⑧ $11 - \boxed{} = 3$

⑨ $\boxed{} - 4 = 7$

⑩ $9 + \boxed{} = 13$

⑪ $18 - \boxed{} = 9$

⑫ $\boxed{} - 5 = 9$

⑬ $\boxed{} + 5 = 11$

⑭ $17 - \boxed{} = 9$

⑮ $\boxed{} - 7 = 7$

⑯ $6 + \boxed{} = 14$

⑰ $15 - \boxed{} = 8$

⑱ $\boxed{} - 6 = 7$

⑲ $\boxed{} + 4 = 13$

⑳ $11 - \boxed{} = 7$

㉑ $\boxed{} - 9 = 5$

㉒ $\boxed{} + 2 = 11$

㉓ $11 - \boxed{} = 6$

㉔ $\boxed{} - 9 = 7$

□ 구하기

❓ 계산해 보세요.

① $7 + \boxed{} = 14$

② $16 - \boxed{} = 9$

③ $\boxed{} - 7 = 4$

④ $\boxed{} + 7 = 16$

⑤ $11 - \boxed{} = 9$

⑥ $\boxed{} - 4 = 9$

⑦ $\boxed{} + 9 = 17$

⑧ $12 - \boxed{} = 6$

⑨ $\boxed{} - 8 = 6$

⑩ $\boxed{} + 6 = 13$

⑪ $11 - \boxed{} = 5$

⑫ $\boxed{} - 9 = 9$

⑬ $\boxed{} + 3 = 12$

⑭ $12 - \boxed{} = 8$

⑮ $\boxed{} - 6 = 9$

⑯ $9 + \boxed{} = 15$

⑰ $14 - \boxed{} = 6$

⑱ $\boxed{} - 7 = 8$

⑲ $\boxed{} + 5 = 12$

⑳ $12 - \boxed{} = 7$

㉑ $\boxed{} - 9 = 3$

㉒ $\boxed{} + 6 = 11$

㉓ $13 - \boxed{} = 8$

㉔ $\boxed{} - 8 = 7$

□ 구하기

✏️ 계산해 보세요.

① $\boxed{} + 3 = 12$

② $15 - \boxed{} = 9$

③ $\boxed{} - 7 = 4$

④ $8 + \boxed{} = 14$

⑤ $14 - \boxed{} = 6$

⑥ $\boxed{} - 8 = 9$

⑦ $6 + \boxed{} = 15$

⑧ $12 - \boxed{} = 5$

⑨ $\boxed{} - 4 = 9$

⑩ $\boxed{} + 9 = 14$

⑪ $16 - \boxed{} = 9$

⑫ $\boxed{} - 7 = 9$

⑬ $5 + \boxed{} = 13$

⑭ $12 - \boxed{} = 8$

⑮ $\boxed{} - 9 = 2$

⑯ $\boxed{} + 6 = 11$

⑰ $13 - \boxed{} = 8$

⑱ $\boxed{} - 7 = 8$

⑲ $3 + \boxed{} = 11$

⑳ $11 - \boxed{} = 8$

㉑ $\boxed{} - 2 = 9$

㉒ $7 + \boxed{} = 12$

㉓ $14 - \boxed{} = 5$

㉔ $\boxed{} - 4 = 8$

□ 구하기

✎ 계산해 보세요.

① □ + 3 = 12

② 11 − □ = 2

③ □ − 7 = 5

④ 6 + □ = 12

⑤ 14 − □ = 9

⑥ □ − 8 = 3

⑦ □ + 6 = 11

⑧ 15 − □ = 7

⑨ □ − 9 = 6

⑩ 8 + □ = 12

⑪ 13 − □ = 4

⑫ □ − 9 = 8

⑬ □ + 9 = 16

⑭ 16 − □ = 7

⑮ □ − 8 = 8

⑯ 3 + □ = 11

⑰ 12 − □ = 9

⑱ □ − 8 = 9

⑲ □ + 8 = 13

⑳ 12 − □ = 4

㉑ □ − 5 = 6

㉒ 9 + □ = 18

㉓ 14 − □ = 7

㉔ □ − 4 = 7

□ 구하기

❓ 계산해 보세요.

① $\boxed{} + 6 = 13$

② $17 - \boxed{} = 9$

③ $\boxed{} - 6 = 8$

④ $9 + \boxed{} = 18$

⑤ $13 - \boxed{} = 9$

⑥ $\boxed{} - 9 = 7$

⑦ $9 + \boxed{} = 15$

⑧ $12 - \boxed{} = 7$

⑨ $\boxed{} - 9 = 2$

⑩ $6 + \boxed{} = 15$

⑪ $15 - \boxed{} = 8$

⑫ $\boxed{} - 8 = 3$

⑬ $5 + \boxed{} = 14$

⑭ $13 - \boxed{} = 5$

⑮ $\boxed{} - 8 = 4$

⑯ $8 + \boxed{} = 14$

⑰ $12 - \boxed{} = 5$

⑱ $\boxed{} - 4 = 7$

⑲ $\boxed{} + 8 = 17$

⑳ $12 - \boxed{} = 3$

㉑ $\boxed{} - 7 = 8$

㉒ $\boxed{} + 2 = 11$

㉓ $12 - \boxed{} = 4$

㉔ $\boxed{} - 8 = 8$

□ 구하기

계산해 보세요.

① $\boxed{} + 8 = 17$　　② $11 - \boxed{} = 4$　　③ $\boxed{} - 7 = 8$

④ $\boxed{} + 8 = 11$　　⑤ $14 - \boxed{} = 7$　　⑥ $\boxed{} - 7 = 5$

⑦ $\boxed{} + 9 = 14$　　⑧ $11 - \boxed{} = 3$　　⑨ $\boxed{} - 8 = 4$

⑩ $5 + \boxed{} = 13$　　⑪ $12 - \boxed{} = 4$　　⑫ $\boxed{} - 9 = 8$

⑬ $\boxed{} + 2 = 11$　　⑭ $16 - \boxed{} = 8$　　⑮ $\boxed{} - 9 = 9$

⑯ $\boxed{} + 5 = 11$　　⑰ $11 - \boxed{} = 9$　　⑱ $\boxed{} - 4 = 9$

⑲ $\boxed{} + 6 = 11$　　⑳ $15 - \boxed{} = 8$　　㉑ $\boxed{} - 8 = 5$

㉒ $6 + \boxed{} = 12$　　㉓ $16 - \boxed{} = 9$　　㉔ $\boxed{} - 5 = 9$

□ 구하기

계산해 보세요.

① $\boxed{} + 5 = 11$

② $13 - \boxed{} = 8$

③ $\boxed{} - 5 = 9$

④ $9 + \boxed{} = 12$

⑤ $11 - \boxed{} = 2$

⑥ $\boxed{} - 7 = 6$

⑦ $\boxed{} + 9 = 11$

⑧ $13 - \boxed{} = 5$

⑨ $\boxed{} - 3 = 9$

⑩ $9 + \boxed{} = 15$

⑪ $13 - \boxed{} = 9$

⑫ $\boxed{} - 6 = 5$

⑬ $7 + \boxed{} = 11$

⑭ $12 - \boxed{} = 8$

⑮ $\boxed{} - 6 = 9$

⑯ $\boxed{} + 4 = 11$

⑰ $11 - \boxed{} = 8$

⑱ $\boxed{} - 9 = 8$

⑲ $\boxed{} + 4 = 13$

⑳ $12 - \boxed{} = 5$

㉑ $\boxed{} - 8 = 9$

㉒ $\boxed{} + 7 = 16$

㉓ $14 - \boxed{} = 6$

㉔ $\boxed{} - 7 = 5$

계산해 보세요.

① $\boxed{} + 9 = 11$

② $12 - \boxed{} = 9$

③ $\boxed{} - 4 = 7$

④ $\boxed{} + 9 = 16$

⑤ $16 - \boxed{} = 8$

⑥ $\boxed{} - 8 = 4$

⑦ $\boxed{} + 8 = 15$

⑧ $11 - \boxed{} = 8$

⑨ $\boxed{} - 2 = 9$

⑩ $\boxed{} + 8 = 17$

⑪ $13 - \boxed{} = 8$

⑫ $\boxed{} - 7 = 8$

⑬ $6 + \boxed{} = 14$

⑭ $13 - \boxed{} = 9$

⑮ $\boxed{} - 5 = 8$

⑯ $\boxed{} + 7 = 13$

⑰ $16 - \boxed{} = 7$

⑱ $\boxed{} - 5 = 9$

⑲ $6 + \boxed{} = 15$

⑳ $12 - \boxed{} = 3$

㉑ $\boxed{} - 7 = 4$

㉒ $\boxed{} + 9 = 17$

㉓ $12 - \boxed{} = 7$

㉔ $\boxed{} - 4 = 9$

□ 구하기

💡 계산해 보세요.

① $\boxed{} + 9 = 14$

② $11 - \boxed{} = 6$

③ $\boxed{} - 5 = 7$

④ $\boxed{} + 7 = 13$

⑤ $15 - \boxed{} = 7$

⑥ $\boxed{} - 8 = 3$

⑦ $7 + \boxed{} = 11$

⑧ $18 - \boxed{} = 9$

⑨ $\boxed{} - 2 = 9$

⑩ $8 + \boxed{} = 16$

⑪ $14 - \boxed{} = 8$

⑫ $\boxed{} - 7 = 7$

⑬ $\boxed{} + 5 = 11$

⑭ $17 - \boxed{} = 8$

⑮ $\boxed{} - 3 = 9$

⑯ $\boxed{} + 6 = 13$

⑰ $12 - \boxed{} = 7$

⑱ $\boxed{} - 6 = 9$

⑲ $\boxed{} + 9 = 16$

⑳ $17 - \boxed{} = 9$

㉑ $\boxed{} - 8 = 5$

㉒ $3 + \boxed{} = 11$

㉓ $11 - \boxed{} = 9$

㉔ $\boxed{} - 6 = 6$

총괄 테스트

이름　　　　점수

01 덧셈식을 보고 뺄셈식을 만들어 보세요.

12 + 25 = 37

☐ - ☐ = ☐

☐ - ☐ = ☐

02 덧셈식을 보고 뺄셈식을 만들어 보세요.

17 + 22 = 39

☐ - ☐ = ☐

☐ - ☐ = ☐

03 뺄셈식을 보고 덧셈식을 만들어 보세요.

06 빈칸에 알맞은 수를 써넣어 ▲를 구하세요.

16 + ▲ = 38

▲ = ☐ - ☐ = ☐

07 ★을 구하세요.

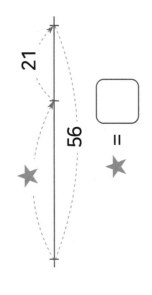

21

56

★ = ☐

08 빈칸에 알맞은 수를 써넣으세요.

11 빈칸에 알맞은 수를 써넣어 ▶ 를 구하세요.

15 − ▶ = 8

▶ = □ − □ = □

12 ♥ 를 구하세요.

14 ────── 36

♥ = □

13 빈칸에 알맞은 수를 써넣으세요.

① 64 − □ = 41

② 11 − □ = 9

16 빈칸에 알맞은 수를 써넣어 ◆ 를 구하세요.

◆ − 33 = 26

◆ = □ + □ = □

17 빈칸에 알맞은 수를 써넣으세요.

① □ − 14 = 15

② □ − 32 = 13

③ □ − 6 = 8

④ □ − 9 = 7

18 빈칸에 알맞은 수를 써넣으세요.

① 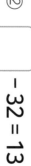 − 44 = 34

② □ − 22 = 51

③ 14 - ☐ = 7

④ 35 - ☐ = 23

14 빈칸에 알맞은 수를 써넣으세요.

① 49 - ☐ = 26

② 17 - ☐ = 8

③ 12 - ☐ = 9

④ 98 - ☐ = 55

15 ☐ 안의 수는 월래(베이타가 서 있는 층을 나타내고, ↓○는 월래베이타가 내려간 층의 수를 써넣으세요.

①
16 ← ○ 7

②
34 ← ○ 13

③ ☐ - 4 = 9

④ ☐ - 5 = 5

19 귤 한 봉지를 사서 8개를 먹었더니 8개가 남았습니다. 한 봉지에 들어있던 귤은 몇 개일까요? ☐가 있는 식을 세우고 답을 구하세요.

식: _____

답: _____ 개

20 ☐ 안의 수는 월래(베이타가 서 있는 층을 나타내고, ↓○는 월래베이타가 내려간 층의 수를 써넣으세요.

①
☐ ← ○ 7 6

②
☐ ← ○ 17 61

+ 24 = 39

① 32 + ☐ = 33

③ 6 + ☐ = 15

② ☐ + 4 = 12

09 빈칸에 알맞은 수를 써넣으세요.

① 45 + ☐ = 87

② ☐ + 31 = 74

③ 7 + ☐ = 12

④ ☐ + 9 = 16

10 구슬 27개가 있었는데 친구에게 구슬 몇 개를 더 받고 나니 구슬이 모두 69개가 되었습니다. 친구에게 받은 구슬은 몇 개일까요? ☐ 가 있는 식을 세우고 답을 구하세요.

식 : _____

답 : _____ 개

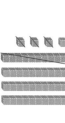

44 – 13 = 31

☐ + ☐ = ☐

☐ + ☐ = ☐

04 뺄셈식을 보고 덧셈식을 만들어 보세요.

58 – 34 = 24

☐ + ☐ = ☐

☐ + ☐ = ☐

05 빈칸에 알맞은 수를 써넣고, 검산식으로 올바른 답인지 확인해 보세요.

① 14 + 21 = ☐

→ 검산식 : _____

② 13 – 5 = ☐

→ 검산식 : _____

1000math.com

홈페이지

· 천종현수학연구소 소개 및 학습 자료 공유
· 출판 교재, 연구소 굿즈 구입

 cafe.naver.com/maths1000

네이버카페

· 다양한 이벤트 및 '천쌤수학학습단' 진행
· 학습 상담 게시판 운영

 https://www.instagram.com/1000maths

인스타그램

· 수학고민상담소 '천쌤에게 물어보셈' 릴스 보기
· 가장 빠르게 만나는 연구소 소식 및 이벤트

 https://www.youtube.com/@1000math4U

유튜브

· 인스타 라이브방송 '천쌤에게 물어보셈' 다시 보기
· 고민 상담 사례 및 수학교육 기획 콘텐츠

천종현수학연구소는

유아 초등 수학 교재와 콘텐츠를 꾸준히 **개발**하고 있습니다. 네이버에 '**천종현수학연구소**'를 검색하시거나 **인스타그램, 유튜브** 등 다양한 채널을 통해서도 **연산**과 **사고력 수학**, 교과 **심화 학습**에 대한 **노하우**와 **정보**를 다양하게 제공합니다. 지금 바로 만나보세요.

SINCE 2014

천종현수학연구소 출판 교재

01
유아 자신감 수학

썼다 지웠다 붙였다 뗐다
우리 아이의 첫 수학 교재

02
TOP 사고력 수학

실력도 탑! 재미도 탑!
사고력 수학의 으뜸

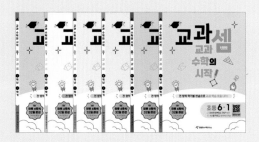

03
교과셈

사칙연산+도형, 측정, 경우의 수까지
반복 학습이 필요한 초등 연산 완성

04
따풀 수학

다양한 개념과 해결 방법을 배우는
배움이 있는 학습지

05
초등 사고력 수학의 원리/전략

진정한 수학 실력은 원리의 이해와 문제 해결 전략에서
재미있게 읽는 17년 초등 사고력 수학의 노하우!!

초등 | 수학 전문가가 만든 연산 교재

원리셈

천종현 지음

정답

1학년 4

□ 구하기

천종현수학연구소

10쪽

① 13, 4, 9
　13, 9, 4

② 14, 9, 5
　14, 5, 9

11쪽

① 39, 26, 13
　39, 13, 26

② 56, 24, 32
　56, 32, 24

12쪽

① 11-6=5　② 13-6=7
　11-5=6　　13-7=6

③ 19-5=14　④ 66-14=52
　19-14=5　　66-52=14

⑤ 48-32=16　⑥ 17-8=9
　48-16=32　　17-9=8

⑦ 59-35=24　⑧ 15-7=8
　59-24=35　　15-8=7

뺄셈식의 순서는 바뀔 수 있습니다.

13쪽

① 5, 8, 13
　8, 5, 13

② 8, 9, 17
　9, 8, 17

14쪽

① 32, 14, 46
　14, 32, 46

② 63, 23, 86
　23, 63, 86

15쪽

① 8+5=13　② 4+7=11
　5+8=13　　7+4=11

③ 3+14=17　④ 45+23=68
　14+3=17　　23+45=68

⑤ 51+33=84　⑥ 8+4=12
　33+51=84　　4+8=12

⑦ 25+42=67　⑧ 13+10=23
　42+25=67　　10+13=23

덧셈식의 순서는 바뀔 수 있습니다.

16쪽

① 6　6+5=11(또는)
　　5+6=11

② 43　43+21=64(또는)
　　21+43=64

③ 15　15-7=8(또는)
　　15-8=7

④ 48　48-12=36(또는)
　　48-36=12

17쪽

① 11　11-5=6(또는)
　　11-6=5

② 8　8+4=12(또는)
　　4+8=12

③ 17　17-8=9(또는)
　　17-9=8

④ 76　76-35=41(또는)
　　76-41=35

⑤ 34　34+24=58(또는)
　　24+34=58

⑥ 37　37-14=23(또는)
　　37-23=14

⑦ 21　21+52=73(또는)
　　52+21=73

⑧ 9　9+6=15(또는)
　　6+9=15

18쪽

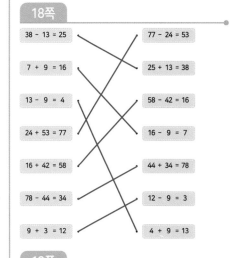

38 - 13 = 25	77 - 24 = 53
7 + 9 = 16	25 + 13 = 38
13 - 9 = 4	58 - 42 = 16
24 + 53 = 77	16 - 9 = 7
16 + 42 = 58	44 + 34 = 78
78 - 44 = 34	12 - 9 = 3
9 + 3 = 12	4 + 9 = 13

19쪽

① 62, 17, 79　② 23, 25, 48
　17, 62, 79　　25, 23, 48
　79, 62, 17　　48, 23, 25
　79, 17, 62　　48, 25, 23

③ 6, 9, 15　④ 32, 17, 49
　9, 6, 15　　17, 32, 49
　15, 6, 9　　49, 32, 17
　15, 9, 6　　49, 17, 32

덧셈식과 뺄셈식의 순서는 바뀔 수 있습니다.

20쪽

① 35, 21, 56　② 8, 6, 14
　21, 35, 56　　6, 8, 14
　56, 35, 21　　14, 8, 6
　56, 21, 35　　14, 6, 8

③ 31, 52, 83　④ 17, 22, 39
　52, 31, 83　　22, 17, 39
　83, 31, 52　　39, 17, 22
　83, 52, 31　　39, 22, 17

덧셈식과 뺄셈식의 순서는 바뀔 수 있습니다.

① 11, 13

② 13, 11

① 9, 8, 17

② 17, 8, 9

③ 11, 7, 4

④ 4, 7, 11

① 22, 34, 56

② 56, 22, 34

③ 48, 26, 22

④ 22, 26, 48

① 8, 7, 15

② 15, 7, 8

③ 59, 34, 25

④ 25, 34, 59

2주차 - 도전! 계산왕

① 11 $11-7=4$(또는)
$11-4=7$

② 16 $16-4=12$(또는)
$16-12=4$

③ 39 $39-32=7$(또는)
$39-7=32$

④ 11 $11+30=41$(또는)
$30+11=41$

⑤ 11 $11+24=35$(또는)
$24+11=35$

⑥ 39 $39-14=25$(또는)
$39-25=14$

⑦ 31 $31+42=73$(또는)
$42+31=73$

⑧ 9 $6+9=15$(또는)
$9+6=15$

⑨ 12 $12+32=44$(또는)
$32+12=44$

⑩ 57 $57-12=45$(또는)
$57-45=12$

① 17 $17-5=12$(또는)
$17-12=5$

② 7 $7+8=15$(또는)
$8+7=15$

③ 19 $19-13=6$(또는)
$19-6=13$

④ 37 $37-25=12$(또는)
$37-12=25$

⑤ 11 $11+21=32$(또는)
$21+11=32$

⑥ 32 $32+11=43$(또는)
$11+32=43$

⑦ 8 $8+5=13$(또는)
$5+8=13$

⑧ 9 $9+7=16$(또는)
$7+9=16$

⑨ 11 $11+13=24$(또는)
$13+11=24$

⑩ 49 $49-32=17$(또는)
$49-17=32$

① 49 $49-23=26$(또는)
$49-26=23$

② 37 $37-25=12$(또는)
$37-12=25$

③ 11 $11+8=19$(또는)
$8+11=19$

④ 63 $63-42=21$(또는)
$63-21=42$

⑤ 17 $17+41=58$(또는)
$41+17=58$

⑥ 8 $8+4=12$(또는)
$4+8=12$

⑦ 49 $49-32=17$(또는)
$49-17=32$

⑧ 32 $32+11=43$(또는)
$11+32=43$

⑨ 12 $12+22=34$(또는)
$22+12=34$

⑩ 27 $27-14=13$(또는)
$27-13=14$

① 58 $58-15=43$(또는)
$58-43=15$

② 28 $28-5=23$(또는)
$28-23=5$

③ 15 $15-8=7$(또는)
$15-7=8$

④ 8 $8+3=11$(또는)
$3+8=11$

⑤ 12 $12+6=18$(또는)
$6+12=18$

⑥ 17 $17-9=8$(또는)
$17-8=9$

⑦ 55　55-42=13(또는)
　　　　55-13=42

⑧ 8　　8+5=13(또는)
　　　　5+8=13

⑨ 7　　7+21=28(또는)
　　　　21+7=28

⑩ 59　59-14=45(또는)
　　　　59-45=14

30쪽

① 11　11+5=16(또는)
　　　　5+11=16

② 35　35+12=47(또는)
　　　　12+35=47

③ 14　14-8=6(또는)
　　　　14-6=8

④ 9　　9+3=12(또는)
　　　　3+9=12

⑤ 21　21+11=32(또는)
　　　　11+21=32

⑥ 38　38-12=26(또는)
　　　　38-26=12

⑦ 11　11+18=29(또는)
　　　　18+11=29

⑧ 3　　3+16=19(또는)
　　　　16+3=19

⑨ 22　22+14=36(또는)
　　　　14+22=36

⑩ 87　87-11=76(또는)
　　　　87-76=11

31쪽

① 18　18-7=11(또는)
　　　　18-11=7

② 76　76-14=62(또는)
　　　　76-62=14

③ 65　65-24=41(또는)
　　　　65-41=24

④ 86　86-45=41(또는)
　　　　86-41=45

⑤ 11　11+12=23(또는)
　　　　12+11=23

⑥ 24　24+43=67(또는)
　　　　43+24=67

⑦ 25　25+63=88(또는)
　　　　63+25=88

⑧ 51　51+41=92(또는)
　　　　41+51=92

⑨ 32　32+33=65(또는)
　　　　33+32=65

⑩ 88　88-32=56(또는)
　　　　88-56=32

32쪽

① 16　16-7=9(또는)
　　　　16-9=7

② 9　　9+4=13(또는)
　　　　4+9=13

③ 12　12+31=43(또는)
　　　　31+12=43

④ 99　99-78=21(또는)
　　　　99-21=78

⑤ 30　30+34=64(또는)
　　　　34+30=64

⑥ 49　49-22=27(또는)
　　　　49-27=22

⑦ 47　47+22=69(또는)
　　　　22+47=69

⑧ 28　28-12=16(또는)
　　　　28-16=12

⑨ 2　　2+12=14(또는)
　　　　12+2=14

⑩ 69　69-43=26(또는)
　　　　69-26=43

33쪽

① 19　19-5=14(또는)
　　　　19-14=5

② 12　12+4=16(또는)
　　　　4+12=16

③ 78　78-61=17(또는)
　　　　78-17=61

④ 22　22+55=77(또는)
　　　　55+22=77

⑤ 14　14+24=38(또는)
　　　　24+14=38

⑥ 13　13-7=6(또는)
　　　　13-6=7

⑦ 3　　3+8=11(또는)
　　　　8+3=11

⑧ 16　16-13=3(또는)
　　　　16-3=13

⑨ 11　11+10=21(또는)
　　　　10+11=21

⑩ 59　59-17=42(또는)
　　　　59-42=17

① 9　9+5=14(또는)
　　　5+9=14

② 6　6+9=15(또는)
　　　9+6=15

③ 29　29-10=19(또는)
　　　29-19=10

④ 88　88-65=23(또는)
　　　88-23=65

⑤ 41　41+11=52(또는)
　　　11+41=52

⑥ 4　4+7=11(또는)
　　　7+4=11

⑦ 22　22+42=64(또는)
　　　42+22=64

⑧ 23　23+72=95(또는)
　　　72+23=95

⑨ 17　17+12=29(또는)
　　　12+17=29

⑩ 39　39-26=13(또는)
　　　39-13=26

① 38　38-33=5(또는)
　　　38-5=33

② 13　13+16=29(또는)
　　　16+13=29

③ 49　49-32=17(또는)
　　　49-17=32

④ 32　32+11=43(또는)
　　　11+32=43

⑤ 22　22+56=78(또는)
　　　56+22=78

⑥ 85　85-43=42(또는)
　　　85-42=43

⑦ 47　47+32=79(또는)
　　　32+47=79

⑧ 22　22+73=95(또는)
　　　73+22=95

⑨ 22　22+15=37(또는)
　　　15+22=37

⑩ 39　39-11=28(또는)
　　　39-28=11

3주차 - 몇+□

① 46, 12, 34

② 48, 7, 41

① 13, 6, 7

② 12, 9, 3

③ 17, 8, 9

① 75, 32, 43　② 13, 8, 5

③ 69, 8, 61　④ 12, 5, 7

⑤ 39, 17, 22　⑥ 14, 9, 5

⑦ 49, 45, 4　⑧ 12, 6, 6

⑨ 47, 24, 23　⑩ 15, 7, 8

① 36　② 24

③ 4　④ 42

⑤ 26　⑥ 21

⑦ 22　⑧ 22

① 9　② 9

③ 7　④ 8

⑤ 9　⑥ 4

⑦ 7　⑧ 4

⑨ 7　⑩ 8

① 17　② 2

③ 6　④ 9

⑤ 7　⑥ 6

⑦ 12　⑧ 8

⑨ 7　⑩ 21

⑪ 61　⑫ 5

⑬ 31　⑭ 5

⑮ 5　⑯ 26

① 3　② 22

③ 26　④ 33

⑤ 36　⑥ 5

⑦ 4　⑧ 13

⑨ 13　⑩ 51

① 7　② 9

③ 4　④ 8

⑤ 9　⑥ 3

⑦ 8　⑧ 9

⑨ 4　⑩ 8

46쪽

$5 + 8 = 13$
9
11
12
36
$14 + 42 = 56$
$25 + 23 = 48$
45
76
$9 + 2 = 11$
99

$5 + 7 = 12$
8
50
92
$13 + 35 = 48$
3
$98 - 3 = 95$

47쪽

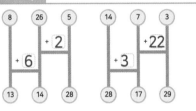

48쪽

49쪽

① 6+□=13, 7

50쪽

① □+18=39, 21

② 9+□=15, 6

51쪽

① 8+□=14, 6

② 23+□=57, 34

③ □+21=45, 24

52쪽

① 9+□=13, 4

② □+6=12, 6

③ 67+□=78, 11

4주차 - 몇-□

54쪽

① 46, 21, 25

② 39, 15, 24

55쪽

① 14, 9, 5

② 11, 4, 7

③ 15, 8, 7

56쪽

① 32, 11, 21   ② 15, 6, 9

③ 17, 9, 8   ④ 38, 23, 15

⑤ 65, 23, 42   ⑥ 11, 5, 6

⑦ 49, 18, 31   ⑧ 12, 8, 4

⑨ 16, 7, 9   ⑩ 37, 24, 13

57쪽

① 15   ② 27

③ 16   ④ 21

⑤ 4   ⑥ 14

⑦ 25   ⑧ 31

58쪽

① 8   ② 9

③ 4   ④ 8

⑤ 9   ⑥ 8

⑦ 3   ⑧ 9

59쪽

① 11   ② 7

③ 5   ④ 6

⑤ 37   ⑥ 7

⑦ 14   ⑧ 7

⑨ 6   ⑩ 53

⑪ 6   ⑫ 18

⑬ 14   ⑭ 5

⑮ 5   ⑯ 35

60쪽

① 9

② 2   ③ 15

④ 7   ⑤ 32

⑥ 21   ⑦ 7

⑧ 8   ⑨ 12

⑩ 11   ⑪ 23

61쪽

① 3 ② 13
③ 25 ④ 8
⑤ 4 ⑥ 9
⑦ 5 ⑧ 17
⑨ 7 ⑩ 14
⑪ 7 ⑫ 8
⑬ 9 ⑭ 21

62쪽

8	9	2
32	6	25
8	16	9

63쪽

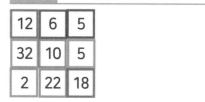

12	6	5
32	10	5
2	22	18

64쪽

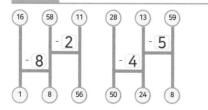

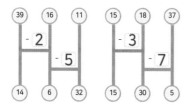

65쪽

① 13-□=11, 2

66쪽

① 11-□=4, 7
② 19-□=12, 7

67쪽

① 13-□=7, 6
② 37-□=21, 16
③ 11-□=6, 5

68쪽

① 15-□=6, 9
② 32-□=11, 21
③ 27-□=4, 23

5주차 - □-몇

70쪽

① 11, 35, 46
② 23, 16, 39

71쪽

① 7, 8, 15
② 9, 4, 13
③ 8, 3, 11

72쪽

① 9, 8, 17 ② 14, 25, 39
③ 42, 31, 73 ④ 9, 2, 11
⑤ 6, 6, 12 ⑥ 63, 5, 68
⑦ 8, 4, 12 ⑧ 18, 21, 39
⑨ 3, 12, 15 ⑩ 6, 9, 15

73쪽

① 39 ② 66
③ 29 ④ 38
⑤ 38 ⑥ 39
⑦ 28 ⑧ 57

74쪽

① 13 ② 12
③ 12 ④ 14
⑤ 10 ⑥ 11
⑦ 17 ⑧ 13

75쪽

① 47 ② 15
③ 19 ④ 11
⑤ 58 ⑥ 13
⑦ 68 ⑧ 17
⑨ 38 ⑩ 16
⑪ 78 ⑫ 15
⑬ 79 ⑭ 10
⑮ 59 ⑯ 17

76쪽

① 11 ② 27
③ 58 ④ 13
⑤ 53 ⑥ 18
⑦ 13 ⑧ 49
⑨ 39 ⑩ 10
⑪ 18 ⑫ 57

77쪽

① 11 ② 46
③ 49 ④ 13
⑤ 48 ⑥ 14
⑦ 55 ⑧ 47
⑨ 13 ⑩ 14
⑪ 37 ⑫ 67
⑬ 12 ⑭ 39

78쪽

① 16
  2
② 15

79쪽

① 5, 12
  17
  12, 5
  7
② 8, 5
  13
③ 4, 13
  17
  13, 4
  9

80쪽

13과의 차가 5인 수
5 7 ⑧ 15 ⑱

7과의 차가 6인 수
① 6 9 ⑬ 16

8과의 합이 11인 수
③ 6 8 15 19

5와의 합이 9인 수
2 ④ 6 9 14

6과의 차가 9인 수
3 5 14 ⑮ 17

8과의 차가 4인 수
2 ④ 9 11 ⑫

6과의 합이 17인 수
1 7 9 ⑪ 13

9와의 합이 13인 수
1 ④ 7 14 16

4와의 차가 7인 수
1 3 5 ⑪ 13

9와의 차가 4인 수
⑤ 7 8 12 ⑬

81쪽

① □-5=6, 11

82쪽

① □-7=9, 16
② □-7=31, 38

83쪽

① □-9=9, 18
② □-7=32, 39
③ □-16=23, 39

84쪽

① □-23=14, 37
② □-28=51, 79
③ □-7=9, 16

6주차 - 도전! 계산왕

86쪽

① 8 ② 6 ③ 13
④ 8 ⑤ 4 ⑥ 12
⑦ 3 ⑧ 8 ⑨ 15
⑩ 7 ⑪ 4 ⑫ 13
⑬ 7 ⑭ 6 ⑮ 12
⑯ 7 ⑰ 9 ⑱ 12
⑲ 5 ⑳ 7 ㉑ 14
㉒ 9 ㉓ 5 ㉔ 17

87쪽

① 6 ② 6 ③ 15
④ 8 ⑤ 8 ⑥ 14
⑦ 9 ⑧ 8 ⑨ 11
⑩ 4 ⑪ 9 ⑫ 14
⑬ 6 ⑭ 8 ⑮ 14
⑯ 8 ⑰ 7 ⑱ 13
⑲ 9 ⑳ 4 ㉑ 14
㉒ 9 ㉓ 5 ㉔ 16

88쪽

① 7 ② 7 ③ 11
④ 9 ⑤ 2 ⑥ 13
⑦ 8 ⑧ 6 ⑨ 14
⑩ 7 ⑪ 6 ⑫ 18
⑬ 9 ⑭ 4 ⑮ 15
⑯ 6 ⑰ 8 ⑱ 15
⑲ 7 ⑳ 5 ㉑ 12
㉒ 5 ㉓ 5 ㉔ 15

89쪽

① 9　② 6　③ 11
④ 6　⑤ 8　⑥ 17
⑦ 9　⑧ 7　⑨ 13
⑩ 5　⑪ 7　⑫ 16
⑬ 8　⑭ 4　⑮ 11
⑯ 5　⑰ 5　⑱ 15
⑲ 8　⑳ 3　㉑ 11
㉒ 5　㉓ 9　㉔ 12

90쪽

① 9　② 9　③ 12
④ 6　⑤ 5　⑥ 11
⑦ 5　⑧ 8　⑨ 15
⑩ 4　⑪ 9　⑫ 17
⑬ 7　⑭ 9　⑮ 16
⑯ 8　⑰ 3　⑱ 17
⑲ 5　⑳ 8　㉑ 11
㉒ 9　㉓ 7　㉔ 11

91쪽

① 7　② 8　③ 14
④ 9　⑤ 4　⑥ 16
⑦ 6　⑧ 5　⑨ 11
⑩ 9　⑪ 7　⑫ 11
⑬ 9　⑭ 8　⑮ 12
⑯ 6　⑰ 7　⑱ 11
⑲ 9　⑳ 9　㉑ 15
㉒ 9　㉓ 8　㉔ 16

92쪽

① 9　② 7　③ 15
④ 3　⑤ 7　⑥ 12
⑦ 5　⑧ 8　⑨ 12
⑩ 8　⑪ 8　⑫ 17
⑬ 9　⑭ 8　⑮ 18
⑯ 6　⑰ 2　⑱ 13
⑲ 5　⑳ 7　㉑ 13
㉒ 6　㉓ 7　㉔ 14

93쪽

① 6　② 5　③ 14
④ 3　⑤ 9　⑥ 13
⑦ 2　⑧ 8　⑨ 12
⑩ 6　⑪ 4　⑫ 11
⑬ 4　⑭ 4　⑮ 15
⑯ 7　⑰ 3　⑱ 17
⑲ 9　⑳ 7　㉑ 17
㉒ 9　㉓ 8　㉔ 12

94쪽

① 2　② 3　③ 11
④ 7　⑤ 8　⑥ 12
⑦ 7　⑧ 3　⑨ 11
⑩ 9　⑪ 5　⑫ 15
⑬ 8　⑭ 4　⑮ 13
⑯ 6　⑰ 9　⑱ 14
⑲ 9　⑳ 9　㉑ 11
㉒ 8　㉓ 5　㉔ 13

95쪽

① 5　② 5　③ 12
④ 6　⑤ 8　⑥ 11
⑦ 4　⑧ 9　⑨ 11
⑩ 8　⑪ 6　⑫ 14
⑬ 6　⑭ 9　⑮ 12
⑯ 7　⑰ 5　⑱ 15
⑲ 7　⑳ 8　㉑ 13
㉒ 8　㉓ 2　㉔ 12

초등 원리셈 1학년
4권 □ 구하기

총괄 테스트

이름 | 점수

01 덧셈식을 보고 뺄셈식을 만들어 보세요.

12 + 25 = 37

37 - 25 = 12
37 - 12 = 25

02 덧셈식을 보고 뺄셈식을 만들어 보세요.

17 + 22 = 39

39 - 22 = 17
39 - 17 = 22

뺄셈식의 순서는 바꿀 수 있습니다.

03 뺄셈식을 보고 덧셈식을 만들어 보세요.

44 - 13 = 31

31 + 13 = 44
13 + 31 = 44

04 뺄셈식을 보고 덧셈식을 만들어 보세요.

58 - 34 = 24

24 + 34 = 58
34 + 24 = 58

덧셈식의 순서는 바꿀 수 있습니다.

05 빈칸에 알맞은 수를 써넣고 검산식으로 올바른 답인지 확인해 보세요.

① 14 + 21 = 35
검산식: 35 - 21 = 14
또는 35 - 14 = 21

② 13 - 5 = 8
검산식: 8 + 5 = 13
또는 5 + 8 = 13

06 빈칸에 알맞은 수를 써넣어 ▲를 구하세요.

16 + ▲ = 38

▲ = 38 - 16 = 22

07 ★을 구하세요.

56
21
★ = 35

08 빈칸에 알맞은 수를 써넣으세요.

① 32 + 23 = 55
② 15 + 24 = 39
③ 6 + 9 = 15
④ 8 + 4 = 12

09 빈칸에 알맞은 수를 써넣으세요.

① 45 + 42 = 87
② 43 + 31 = 74
③ 7 + 5 = 12
④ 7 + 9 = 16

10 구슬 27개가 있었는데 친구에게 구슬 몇 개를 더 받고 나니 구슬이 모두 69개가 되었습니다. 친구에게 받은 구슬은 몇 개일까요? □가 있는 식을 세우고 답을 구하세요.

식: 27 + □ = 69

답: 42 개

총괄 테스트

11 빈칸에 알맞은 수를 써넣어 ▲를 구하세요.

15 - ▲ = 8

▲ = 15 - 8 = 7

12 ♥를 구하세요.

36
14
♥ = 22

13 빈칸에 알맞은 수를 써넣으세요.

① 64 - 23 = 41
② 11 - 2 = 9
③ 14 - 7 = 7
④ 35 - 12 = 23

14 빈칸에 알맞은 수를 써넣으세요.

① 49 - 23 = 26
② 17 - 9 = 8
③ 12 - 3 = 9
④ 98 - 43 = 55

15 ◯ 안의 수는 엘리베이터가 있는 층을 나타내고, ◯는 엘리베이터가 올라간 수를 나타냅니다. ▮는 엘리베이터가 내려간 수를 나타냅니다. □에 엘리베이터가 내려간 층의 수를 써넣으세요.

① 16  9 7

② 34 21 13

16 빈칸에 알맞은 수를 써넣어 ◆를 구하세요.

◆ - 33 = 26

◆ = 26 + 33 = 59

17 빈칸에 알맞은 수를 써넣으세요.

① 29 - 14 = 15
② 45 - 32 = 13
③ 14 - 6 = 8
④ 16 - 9 = 7

18 빈칸에 알맞은 수를 써넣으세요.

① 78 - 44 = 34
② 73 - 22 = 51
③ 13 - 4 = 9
④ 10 - 5 = 5

19 곶 한 봉지를 사서 8개를 먹었더니 8개가 남았습니다. 한 봉지에 들어있던 곶은 몇 개일까요? □가 있는 식을 세우고 답을 구하세요.

식: □ - 8 = 8

답: 16 개

20 ◯ 안의 수는 엘리베이터가 있는 층을 나타내고, ◯는 엘리베이터가 올라간 수를 나타냅니다. ▮는 엘리베이터가 내려간 수를 나타냅니다. □에 엘리베이터가 올라간 층의 수를 써넣으세요.

① 13 7 6

② 78 17 61

마술 같은 논리 수학 매직
전 영역에 걸쳐 균형 있는 논리력, 문제해결력 기르기

생각하고 발견하는 수학 로지카
최고 수준 학습을 위한 사고력, 문제해결력 기르기

문제해결력 향상을 위한 실전서
문제해결사 PULL UP
학년별 실전 고난도 문제해결을 위한 브릿지 학습

천종현수학연구소의 학원 프로그램, 로지카 아카데미

"수학으로 세상을 다르게 보는 아이로!"
"생각하고 발견하는 수학, **로지카 아카데미**에서 시작하세요."

20년 차 수학교육전문가 천종현 소장과 함께 생각하는 힘을 기를 수 있는 곳, 로지카 아카데미입니다. 생각하고 발견하는 수학을 통해 아이들은 새로운 세상을 만나게 될 것입니다. 오늘부터 아이의 수학 여정을 로지카 아카데미와 함께하세요.

▶ ▷ ▷ ▷ **로지카 아카데미** www.logicaedu.kr

천종현수학연구소의 교재 흐름도

	4세	5세	6세	7세	초1
출판 교재					
유자수 · 탑사고력	만 3세	만 4세	만 5세	K단계	P단계
원리셈		5, 6세	6, 7세	7, 8세	초등 1
교과셈					초등 1
따풀				7세	초등 1
학원 교재					
매직 · 로지카			K단계	P단계	A단계
풀업				P단계	A단계